G. A. Bécquer
Rimas y Leyendas

Aula •Biblioteca del Estudiante

G. A. Bécquer

Rimas y Leyendas
Cartas desde mi celda

Planeta

© 1982 Fascículos Planeta, S. A. P.º de la Habana, 136. Madrid-16
Diseño de cubierta: Fernando Medina
Realización: Julián Mora.
Ilustración de cubierta: G. A. Bécquer por Valeriano Bécquer.
Colección Ybarra (Sevilla)
Depósito legal: B. 35.562/82
ISBN: 84-8575-399-2
Printed in Spain - Impreso en España
CAYFOSA, Ctra. de Caldas, km. 3,700
Sta. Perpetua de Moguda (Barcelona)

PRELIMINAR

POCAS *personalidades poéticas han gozado de tanta fama como la de Gustavo Adolfo Bécquer: desde la publicación, póstuma, de sus* Obras, *en 1871, hasta nuestros días, la sencillez —tan equívoca— de su intimista palabra ha sabido captar a innúmeros lectores que, generación a generación, se han sucedido en personal diálogo con el mundo poético becqueriano.*

Un mundo que, en una primera, inocente lectura, sugiere un tono de casi inmediata sinceridad emotiva, como si ante «dictados del alma» nos halláramos, en el que radica gran parte de su popularidad. Y, sin embargo, nada más ajeno a Bécquer que el poeta que va escribiendo al hilo ya de la amargura, ya de un fugaz optimismo. La trayectoria interna de Bécquer fue, más allá de un mero caminar por el «dolorido sentir», una continua búsqueda de la forma, o el medio con el que mejor cifrar estéticamente cuanto sentía; con el que traducir, en suma, su realidad en la eternidad de la palabra.

Hijo del pintor José Domínguez Insausti, nació en Sevilla en 1836. A los cuatro años muere su padre, y, en 1846, el niño ingresa en el internado de San Telmo, institución que acogía a los huérfanos de buena clase social que no contaban con recursos económicos para su educación. Estando en San Telmo muere la madre y, cuando en 1847, una Real Orden suprime la Institución, el muchacho va a vivir con su madrina, Manuela Monnehay. Es en su casa donde seguramente conoció la obra de los autores del romanticismo: Byron, Espronceda, Hoffmann... son nombres claves en su formación, en la que quizás ya latía una profunda admiración hacia los poetas clásicos y renacentistas. Siguiendo la tradición familiar recibe clases de dibujo, y poco

después, ya viviendo con sus hermanos, ingresa como aprendiz en el taller de pintura de su tío, Joaquín Domínguez Bécquer; allí se encontraba también, iniciando su carrera de pintor, Valeriano, el hermano que le acompañó entrañablemente a lo largo de toda su vida. Más inclinado hacia la literatura, se esfuerza en proseguir unos estudios humanísticos, seguramente bajo la dirección de Alberto Lista, a quien dedicará, con motivo de su muerte, su primer poema conocido. Son años plenos de juvenil entusiasmo, en los que, junto a Nombela y Julio Campillo, el futuro editor de sus obras, escribe poemas de corte clasicista, acariciando ese «sueño de oro» de la gloria literaria que le impulsará, en 1854, a abandonar su luminosa tierra para ir a Madrid.

Pero en Madrid no le resulta fácil abrirse camino: sufre penurias económicas, agotándose en un trabajo continuo como colaborador en los periódicos de la capital; entre 1856 y 1861 se introduce en la vida literaria madrileña. Emprende la entusiasta tarea de escribir la Historia de los templos de España, *cuya primera entrega se publicó en 1857; fue gracias a este proyecto por el que conoció Toledo, ciudad que amó intensamente y que aparece con harta frecuencia en su prosa. Paralelamente tiene, además, que adaptar comedias y zarzuelas para subsistir.*

En 1858, durante la convalecencia de una grave enfermedad, conoce a Julia Espín, con quien vivió un fugaz, mas intensísimo amor —el que acaso recobra en las Rimas— *que la joven, ante quien se abría un brillante porvenir musical, no se atrevió a continuar. En 1861 se casa con Casta Esteban, conociendo, aunque temporalmente, una plácida vida hogareña.*

Son años decisivos para la conformación de su lengua poética: conoce a Heine, en las páginas de El Museo Universal, *cuyos poemas de corte intimista, acogidos a la tradición popular del* lied *germánico, serán lectura clave, y redescubre, merced al libro de cantares de Augusto Ferrán,* La Soledad, *toda la honda potencia expre-*

*siva de la copla andaluza. El mismo año de su matri-
monio aparece una reseña al libro de Ferrán, donde
Bécquer ya «habla del futuro poeta que está empezando
a ser», como señaló Jorge Guillén.*

*Se trata de un pequeño tratado de poética, coetáneo
a las* Cartas literarias a una mujer, *donde más sistemá-
ticamente expone su teoría literaria, en el que define a
la poesía como «un acorde que se arranca de un arpa
y se quedan las cuerdas vibrando con un zumbido ar-
monioso». Es el mismo símbolo que aparecerá en la
conocida rima «del salón en el ángulo oscuro», el poema
que Eleazar Huerta definirá como el de más acendrado
neoplatonismo de la literatura española desde la* Oda
a Salinas *de Fray Luis. Analizando los símbolos, la poe-
sía es el sentimiento —el acorde—, la sensación, que
está en la realidad, como las notas están en el arpa.
Luego la poesía es igual a la vivencia ante la realidad,
y es, al tiempo, la realidad misma, en cuanto que la
sensación que produce late en ella. De ahí su celebérri-
mo «poesía eres tú» referido a la mujer, donde ésta
asume el doble significado de sentimiento en sí y, para-
lelamente, de origen del mismo. Pero entre el «acto
poético» de sentir la realidad y el «acto creativo», o sea,
el de dar forma estética a esta realidad sentida, existe
una clara separación, ante todo de carácter temporal.
«Por lo que a mí respecta puedo asegurarte que cuando
siento no escribo», se lee en las* Cartas literarias a una
mujer. *La sensación, mediante la que aprehendemos la
realidad, tenía un carácter indefinible, ajeno a la razón;
pero si el acto poético es esencialmente sensitivo, el
creativo ha de estar ceñido por una razón que ordene,
en un segundo tiempo —la «sabia mano» de Salinas
que «gobierna» el «caos»— cuanto el poeta siente con-
fusa o vagamente. «Sólo el genio puede a un yugo atar
las dos», o sea, a la inspiración, la sensación y a la
razón o la forma, creando un universo donde la primera
late «gobernada» por la segunda. Es la becqueriana lucha
por hallar la forma, por domeñar al rebelde idioma,*

lucha que se trasluce en los protagonistas de sus leyendas: Manrique, en El rayo de luna, *el músico del* Miserere, *el capitán del* Beso... *Son siempre personajes en los que Bécquer proyecta su personal necesidad por traducir en «otra realidad» las sensaciones que recibe de lo que contempla. El capitán y Manrique intentarán hacerlo en la vida tangible: el resultado es la muerte o la locura. El músico mediante la música —el arte—, pero aun así también cae vencido sin lograrlo. Será maese Pérez el organista quien refleje a ese «genio» becqueriano que lograba la fusión entre el mundo vago, semejante a un sueño, de la sensación, y el de razón, creando una forma superior que los aúna. Es la forma que Bécquer buscaba para sus poemas y que encontró, de modo inmejorable, en los módulos poéticos de la poesía popular, esa lírica caracterizada por su verdad y su sencillez, que capta rápidamente a su auditorio, concisa y certera.*

Bécquer podía ya iniciar el «acto creativo». En la huella de la poesía popular. El resultado será esa «lírica pura y desnuda, sin anécdota ni cuerpo, perfume de poema», como la definió Angel Valbuena Prat. Una lírica que despojó a la poesía de su época de toda cadenciosa retórica, iniciando el camino de la poesía moderna actual.

En 1863 marcha a Veruela, por motivos de salud, con su familia. El paisaje aragonés le fascina, como ya le sucediera con Toledo; es allí desde donde escribe su obra más perfecta dentro de su actividad como periodista: las Cartas desde mi celda. *La serie, de ocho artículos, escritos bajo forma de cartas, fórmula ya consagrada en el periodismo de la época, comienza como un mero relato de viaje, continúa como ensayo y finaliza en un estricto relato legendario, ya muy levemente ceñido a lo documental. Las tres últimas cartas, con la historia de la bruja de Trasmoz, pierden ya toda conexión con el artículo de costumbres, inscribiéndose en*

el mismo mundo legendario, transido de misterio, que aparecía en las Leyendas.

Nombrado fiscal de novelas por González Bravo, ministro conservador de Isabel II, conoce durante unos años una holgada situación económica; incluso ve posible la publicación de sus Rimas, a expensas de su protector. Pero la caída de Isabel II obliga al ministro a partir precipitadamente a París; Bécquer le acompaña. Sus Rimas, cuyo manuscrito se encontraba en la casa de González Bravo, se pierden en el saqueo que sufrió la residencia.

A su regreso verá quebrarse también su estabilidad familiar: rompe violentamente con Casta, marchando con sus dos hijos a Toledo, donde estaban su hermano y sobrinos. Escribe el Libro de los gorriones, conjunto inacabado de prosas y poesías, donde reescribe de memoria las poesías que se perdieron en el saqueo.

Llamados él y Valeriano para formar parte de La Ilustración de Madrid, como director y dibujante, respectivamente, regresan a Madrid; Casta, reconciliado el matrimonio, regresa al hogar con el tercero de sus hijos. La vida parece discurrir de nuevo serenamente; sin embargo no durará mucho. En octubre de 1870 muere Valeriano. Y en diciembre del mismo año, Gustavo Adolfo Bécquer.

Periodista, poeta, creador del misterioso y sugestivo mundo de las leyendas, Bécquer renovó la poesía de la época, retornándola a un intimista, personal cauce, por el que discurrirán desde Rubén hasta poetas actuales como Aquilino Duque, sin omitir al 27. Su mundo de sensaciones, tanto en su prosa como en las Rimas, donde se confundían la luz, el color, los aromas, se anticipaba al simbolismo francés, y a Juan Ramón.

En la presente edición se sigue, en lo que atañe a las Rimas, el orden del manuscrito original, como en la edición de María del Pilar Palomo (Planeta, 1982). En cuanto a las Leyendas se sigue el texto fijado por Rubén Benítez (Labor, Barcelona, 1974), el único que acude

a las versiones publicadas en la prensa por el propio Bécquer. En Cartas desde mi celda *se sigue el de* Obras completas *(Aguilar, Madrid, 1973), al cuidado de Dionisio Gamallo Fierros.*

ISABEL PRIETO

RIMAS

Para las **Rimas** se mantiene el orden del autógrafo **Libro de los Gorriones,** siguiendo la numeración arábiga, y se añade entre paréntesis, con numeración romana, la enumeración tradicional desde la edición de 1871.

1. (XLVIII)

Como se arranca el hierro de una herida
su amor de las entrañas me arranqué,[1]
¡aunque sentí al hacerlo que la vida
me arrancaba con él!

Del altar que le alcé en el alma mía 5
la Voluntad su imagen arrojó,
y la luz de la fe que en ella ardía
ante el ara desierta se apagó.

Aun turbando en la noche el firme empeño 10
vive en la idea la visión tenaz...
¡Cuándo podré dormir con ese sueño
en que acaba el soñar!

2. (XLVII)[2]

Yo me he asomado a las profundas simas
de la tierra y del cielo,
y les he visto el fin con los ojos
o con el pensamiento.

Mas ¡ay! de un corazón llegué al abismo 5
y me incliné un momento,
y mi alma y mis ojos se turbaron:
¡Tan hondo era y tan negro!

1. El tema del hierro arrancado, como símbolo de pasión amorosa, es frecuente en toda la poesía romántica. La rima se relaciona con la número XXXVII y se ha señalado su presencia en Machado y Rosalía de Castro (cfr. R. Lapesa, *De la Edad Media a nuestros días*, Gredos, Madrid, 1967, pp. 300-306).
2. La crítica ha señalado, con unanimidad, la vinculación de la rima XLVII con canciones populares, transmitidas o recreadas por Ruiz Aguilera, Jerónimo Forteza, Augusto Ferrán...

3. (XLV)

En la clave del arco ruinoso
cuyas piedras el tiempo enrojeció,
obra de un cincel rudo campeaba
el gótico blasón.

Penacho de su yelmo de granito 5
la yedra que colgaba en derredor
daba sombra al escudo en que una mano
tenía un corazón.

A contemplarle en la desierta plaza
nos paramos los dos. 10
Y, ése, me dijo, es el cabal emblema
de mi constante amor.

¡Ay! y es verdad lo que me dijo entonces:
Verdad que el corazón
lo llevará en la mano... en cualquier parte... 15
pero en el pecho no.

4. (XXXVIII) [3]

¡Los suspiros son aire y van al aire!
¡Las lágrimas son agua y van al mar!
Dime, mujer: cuando el amor se olvida,
¿sabes tú a dónde va?

5. (LXXII)

Primera voz

Las ondas tienen vaga armonía,
las violetas suave olor,

3. Dentro de la conexión de la poesía becqueriana con fórmulas
populares, es interesante destacar la afinidad de la rima XXXVIII
con diversos cantares de Ferrán.

brumas de plata la noche fría,
luz y oro el día,
yo algo mejor; 5
¡yo tengo *Amor*!

Segunda voz

Aura de aplausos, nube radiosa,
ola de envidia que besa el pie.
Isla de sueños donde reposa
el alma ansiosa. 10
Dulce embriaguez
¡la *Gloria* es!

Tercera voz

Ascua encendida es el tesoro,
sombra que huye la vanidad.
Todo es mentira; la gloria, el oro, 15
lo que yo adoro
sólo es verdad;
¡la *Libertad*!

Así los barqueros pasaban cantando
la eterna canción
y al golpe del remo saltaba la espuma 20
y heríala el sol.

—¿Te embarcas? gritaban, y yo sonriendo
les dije al pasar:
Yo ya me he embarcado, por señas que aún tengo
la ropa en la playa tendida a secar.[4] 25

6. (XVIII)

Fatigada del baile,
encendido el color, breve el aliento,

4. Análogo desengaño existencial es el que expresa Bécquer en la
tercera de las *Cartas*. Aunque el texto en prosa adquiere una mayor
densidad dramática e intimismo.

apoyada en mi brazo
del salón se detuvo en un extremo.

 Entre la leve gasa 5
que levantaba el palpitante seno,
una flor se mecía
en compasado y dulce movimiento.

 Como en cuna de nácar
que empuja el mar y que acaricia el céfiro, 10
dormir parecía al blando
arrullo de sus labios entreabiertos.

 ¡Oh! ¡quién así, pensaba,
dejar pudiera deslizarse el tiempo!
 ¡Oh! si las flores duermen, 15
¡qué dulcísimo sueño!

7. (XXVI)

 Voy contra mi interés al confesarlo,
no obstante, amada mía,
pienso cual tú que una oda sólo es buena
de un billete del Banco al dorso escrita.
No faltará algún necio que al oírlo 5
se haga cruces y diga:
 Mujer al fin del siglo diez y nueve
material y prosaica... ¡Boberías!
 ¡Voces que hacen correr cuatro poetas
que en invierno se embozan con la lira! 10
 ¡Ladridos de los perros a la luna
Tú sabes y yo sé que en esta vida,
con genio es muy contado el que la *escribe*,
y con oro cualquiera *hace* poesía.

8. (LVIII)

 ¿Quieres que de ese néctar delicioso
no te amargue la hez?

Pues aspírale, acércale a tus labios
y déjale después.

 ¿Quieres que conservemos una dulce 5
memoria de este amor?
Pues amémosnos hoy mucho y mañana
¡digámosnos, adiós!

9. (LV)

 Entre el discorde estruendo de la orgía
acarició mi oído
como una nota de lejana música,
el eco de un suspiro.

 El eco de un suspiro que conozco. 5
formado de un aliento que he bebido,
perfume de una flor que oculta crece
en un claustro sombrío.

 Mi adorada de un día, cariñosa,
—¿En qué piensas? me dijo: 10
—En nada... —En nada ¿y lloras? —Es que tengo
alegre la tristeza y triste el vino.

10. (XLIV)

 Como en un libro abierto
leo de tus pupilas en el fondo.
 ¿A qué fingir el labio
risas que se desmienten en los ojos?

 ¡Llora! No te avergüences 5
de confesar que me has querido un poco.
 ¡Llora! Nadie nos mira.
Ya ves; yo soy un hombre... y también lloro.

11. (I) [5]

Yo sé un himno gigante y extraño
que anuncia en la noche del alma una aurora
y estas páginas son de ese himno
cadencias que el aire dilata en las sombras.

Yo quisiera escribirle, del hombre 5
domando el rebelde mezquino idioma,
con palabras que fuesen a un tiempo
suspiros y risas, colores y notas.

Pero en vano es luchar; que no hay cifra
capaz de encerrarle, y apenas ¡oh! ¡hermosa! 10
si teniendo en mis manos las tuyas
podría al oído cantártelo a solas.

12. (L)

Lo que el salvaje que con torpe mano
hace de un tronco a su capricho un dios [6]
y luego ante su obra se arrodilla,
eso hicimos tú y yo.

Dimos formas reales a un fantasma, 5
de la mente ridícula invención
y hecho el ídolo ya, sacrificamos
en su altar nuestro amor.

5. Esta composición fue la que eligieron los amigos y editores del poeta para abrir la edición de las *Rimas*. Como es sabido, en los primeros números agruparon aquellos poemas (no todos) en donde Bécquer se plantea el misterio mismo de la poesía. Dentro de esta concepción de *canzoniere*, aunque ajena al mismo poeta, la composición I adquiere, con total acierto, el rango de Rima introductoria, cercana en intencionalidad estructurante a los sonetos-prólogo de los cancioneros petrarquistas. En ella se aúna el problema del acto creador con el concepto mismo de una poesía que se *siente* y *piensa* como sinónimo de sentimiento.

6. Reminiscencia de *El Caudillo de las manos rojas*: el ídolo, representación de Visnú, realizado con el tronco de un árbol que se transformará en la imagen de Siva, y ante el que mueren Pulo y su esposa.

13. (VII)

Del salón en el ángulo oscuro,
de su dueña tal vez olvidada,
silenciosa y cubierta de polvo,
veíase el arpa.[7]

¡Cuánta nota dormía en sus cuerdas, 5
como el pájaro duerme en las ramas,
esperando la mano de nieve
que sabe arrancarlas!

¡Ay!, pensé, ¡cuántas veces el genio
así duerme en el fondo del alma, 10
y una voz como Lázaro espera
que le diga «Levántate y anda»!

14. (XLIX)[8]

Alguna vez la encuentro por el mundo
y pasa junto a mí
y pasa sonriéndose y yo digo
¿Cómo puede reír?

Luego asoma a mi labio otra sonrisa 5
máscara del dolor,
y entonces pienso: —Acaso ella se ríe,
como me río yo.

15. (II)

Saeta que voladora
cruza, arrojada al azar,

7. El símbolo del arpa y la rima VII han sido analizados por todos
los críticos que han estudiado la poética becqueriana y sus raíces neo-
platónicas.

8. La rima XLIX es una de las señaladas (juntamente con las
número XXXI, XXXIX, XL, XLII, XLIII y XLV), como muestra
del influjo de Heine sobre el poeta sevillano.

y que no se sabe dónde
temblando se clavará;

hoja que del árbol seca　　　　　　　　　　5
arrebata el vendaval,
y que no hay quien diga el surco
donde el polvo volverá.

Gigante ola que el viento
riza y empuja en el mar　　　　　　　　　　10
y rueda y pasa y se ignora
qué playa buscando va.

Luz que en cercos temblorosos
brilla próxima a expirar,
y que no se sabe de ellos　　　　　　　15
cuál el último será.

Eso soy yo que al acaso
cruzo el mundo sin pensar
de dónde vengo ni a dónde
mis pasos me llevarán.　　　　　　　　　20

16.　(XLII)

Cuando me lo contaron sentí el frío
de una hoja de acero en las entrañas,
me apoyé contra el muro, y un instante
la conciencia perdí de donde estaba.

Cayó sobre mi espíritu la noche　　　　5
en ira y en piedad se anegó el alma
¡y se me reveló por qué se llora!
¡y comprendí una vez por qué se mata!

Pasó la nube de dolor... con pena
logré balbucear unas palabras...　　　　　10
y ¿qué había de hacer? era un amigo
me había hecho un favor... Le di las gracias.

17. (LIX) [9]

Yo sé cuál el objeto
de tus suspiros es.
Yo conozco la causa de tu dulce
secreta languidez.
¿Te ríes...? Algún día 5
sabrás, niña, por qué:
Tú lo sabes apenas
y yo lo sé.

Yo sé cuando tú sueñas,
y lo que en sueños ves; 10
como en un libro puedo lo que callas
en tu frente leer.
¿Te ríes...? Algún día
sabrás, niña, por qué:
Tú lo sabes apenas 15
y yo lo sé.

Yo sé por qué sonríes
y lloras a la vez.
Yo penetro en los senos misteriosos
de tu alma de mujer. 20
¿Te ríes...? Algún día
sabrás, niña, por qué:
mientras tú sientes mucho y nada sabes,
yo que no siento ya, todo lo sé.

18. (LXVII)

¡Qué hermoso es ver el día
coronado de fuego levantarse,
y a su beso de lumbre
brillar las olas y encenderse el aire!

9. Se trata de la última composición seleccionada por Bécquer para
su publicación aislada, ya que fue el inédito enviado por su autor
para el *Almanaque Literario de la Biblioteca Ilustrada de Gaspar y
Roig para el año 1871.*

¡Qué hermoso es tras la lluvia 5
del triste Otoño en la azulada tarde,
de las húmedas flores
el perfume beber hasta saciarse!

¡Qué hermoso es cuando en copos
la blanca nieve silenciosa cae, 10
de las inquietas llamas
ver las rojizas lenguas agitarse!

¡Qué hermoso es cuando hay sueño
dormir bien... y roncar como un sochantre...
y comer... y engordar... ¡y qué desgracia 15
que esto sólo no baste!

19. (XXII)

¿Cómo vive esa rosa que has prendido
junto a tu corazón?
Sobre un volcán hasta encontrarla ahora
nunca he visto una flor.

20. (LVI)

Hoy como ayer, mañana como hoy
¡y siempre igual!
Un cielo gris, un horizonte eterno
y andar... andar.

Moviéndose a compás como una estúpida 5
máquina el corazón
la torpe inteligencia del cerebro
dormida en un rincón.

El alma, que ambiciona un paraíso,
buscándole sin fe; 10
fatiga sin objeto, ola que rueda
ignorando por qué.

Voz que incesante con el mismo tono
canta al mismo cantar,

gota de agua monótona que cae [15]
y cae sin cesar.

Así van deslizándose los días
unos de otros en pos,
hoy lo mismo que ayer, probablemente
mañana como hoy. [20]

¡Ay! ¡a veces me acuerdo suspirando
del antiguo sufrir!
¡Amargo es el dolor pero siquiera
padecer es vivir!

21. (XXI) [10]

¿Qué es poesía?, dices mientras clavas
en mi pupila tu pupila azul;
¡Qué es poesía! ¿Y tú me lo preguntas?
Poesía... eres tú.

22. (XXIII) [11]

Por una mirada, un mundo,
por una sonrisa, un cielo,
por un beso... yo no sé
qué te diera por un beso.

10. El orden en que los amigos y editores de Bécquer publicaron las rimas ha originado, en parte, la interpretación amorosa que la rima XXI ha tenido popularmente, ya que, agrupadas inicialmente las relativas a la poética becqueriana, queda la XXI desgajada de ese grupo temático y considerada como simple piropo de amante. Sin embargo, la rima XXI es la síntesis del comienzo de las *Cartas literarias a una mujer* (20 de diciembre de 1860), donde adquiere su exacto significado de teoría poética, tal como ha sido analizado en diversos estudios sobre la poética de Bécquer.
11. Apareció por primera vez, bajo el título *A ella*, en *El Contemporáneo* (23 de abril de 1861), en la misma fecha en que se está tramitando el expediente matrimonial de Bécquer y Casta Esteban (3 de abril a 16 de mayo). Esa «ella» no puede ser sino Casta.

23. (LXXV)

¿Será verdad que cuando toca el sueño
con sus dedos de rosa nuestros ojos,
de la cárcel que habita huye el espíritu
en vuelo presuroso?

¿Será verdad que, huésped de las nieblas, 5
de la brisa nocturna al tenue soplo,
alado sube a la región vacía
a encontrarse con otros?

¿Y allí desnudo de la humana forma,
allí los lazos terrenales rotos, 10
breves horas habita de la idea
el mundo silencioso?

¿Y ríe y llora y aborrece y ama
y guarda un rastro del dolor y el gozo,
semejante al que deja cuando cruza 15
el cielo un meteoro?

Yo no sé si ese mundo de visiones
vive fuera o va dentro de nosotros:
lo que sé es que conozco a muchas gentes
a quienes no conozco. 20

24. (LXXIV)

Las ropas desceñidas,
desnudas las espadas,
en el dintel de oro de la puerta
dos ángeles velaban.

Me aproximé a los hierros 5
que defienden la entrada,
y de las dobles rejas en el fondo
la vi confusa y blanca.

La vi como la imagen
que en un ensueño pasa, 10
como un rayo de luz tenue y difuso
que entre tinieblas nada.

Me sentí de un ardiente
deseo llena el alma;
como atrae un abismo, aquel misterio 15
hacia sí me arrastraba.

¡Mas ay! que de los ángeles
parecían decirme las miradas
—El umbral de esta puerta
sólo Dios lo traspasa. 20

25. (VIII) [12]

Cuando miro el azul horizonte
perderse a lo lejos,
al través de una gasa de polvo
dorado e inquieto,
se me antoja posible arrancarme 5
del mísero suelo
y flotar con la niebla dorada
¡en átomos leves
cual ella deshecho!

Cuando miro de noche en el fondo 10
oscuro del cielo
las estrellas temblar como ardientes
pupilas de fuego,

12. Se ha relacionado el cristianismo poético de la rima con la corriente prerromántica y romántica europea, representada por Chateaubriand. Sin negar estas relaciones, el movimiento ascensional de la estrofa segunda, partiendo de la contemplación del cielo estrellado hasta fundirse con la luz celestial, recuerdan muy concretamente el neoplatonismo cristianizado de un fray Luis de León en sus odas *A Francisco Salinas* y *A Diego Olarte*. Recuérdense, por ejemplo, los versos 25-28 de la primera *(Aquí el alma navega / en un mar de dulzura y finalmente / en él así se anega...)* y los versos 15 y 16 del texto becqueriano. O el comienzo de la segunda: *Cuando contemplo el cielo / de innumerables luces adornado...*

se me antoja posible a dó brillan
subir en un vuelo, 15
y anegarme en su luz, y con ellas
en lumbre encendido
fundirme en un beso.

En el mar de la duda en que bogo
ni aún sé lo que creo; 20
sin embargo estas ansias me dicen
que yo llevo algo
divino aquí dentro.

26. (XLI)

Tú eras el huracán y yo la alta
torre que desafía su poder:
¡tenías que estrellarte o que abatirme!
¡No podía ser!

Tú eras el océano y yo la enhiesta 5
roca que firme aguarda su vaivén:
¡tenías que romperte o que arrancarme!
¡No podía ser!

Hermosa tú, yo altivo: acostumbrados
uno a arrollar, el otro a no ceder: 10
la senda estrecha, inevitable el choque...
¡No podía ser!

27. (IX)

Besa el aura que gime blandamente
las leves ondas que jugando riza;
el sol besa a la nube en occidente
y de púrpura y oro la matiza;
la llama en derredor del tronco ardiente 5
por besar a otra llama se desliza
y hasta el sauce inclinándose a su peso
al río que le besa, vuelve un beso.

28. (XXXVII)

Antes que tú me moriré: escondido
en las entrañas ya
el hierro llevo con que abrió tu mano
la ancha herida mortal.

Antes que tú me moriré: y mi espíritu. 5
en su empeño tenaz
se sentará a las puertas de la Muerte,
que llames a esperar.

Con las horas los días, con los días
los años volarán, 10
y a aquella puerta llamarás al cabo...
¿Quién deja de llamar?

Entonces, que tu culpa y tus despojos
la tierra guardará,
lavándote en las ondas de la muerte 15
como en otro Jordán.

Allí, donde el murmullo de la vida
temblando a morir va,
como la ola que a la playa viene
silenciosa a expirar. 20

Allí donde el sepulcro que se cierra
abre una eternidad.
Todo lo que los dos hemos callado
lo tenemos que hablar.

29. (XIII) [13]

Tu pupila es azul y cuando ríes
su claridad suave me recuerda

13. Se trata de la primera rima publicada por Bécquer. Apareció
el 17 de diciembre de 1859, en la sección poética del semanario *El
Nene*. En esta primera versión aparece bajo el epígrafe de *Imitación
de Byron*, que desapareció, como es usual, en el manuscrito. Como

el trémulo fulgor de la mañana
que en el mar se refleja.

Tu pupila es azul y cuando lloras 5
las trasparentes lágrimas en ella
se me figuran gotas de rocío
sobre una violeta.

Tu pupila es azul y si en su fondo
como un punto de luz radia una idea 10
me parece en el cielo de la tarde
una perdida estrella.

30. (XXXI)

Nuestra pasión fue un trágico sainete
en cuya absurda fábula
lo cómico y lo grave confundidos
risas y llanto arrancan.

Pero fue lo peor de aquella historia 5
que al fin de la jornada
a ella tocaron lágrimas y risas
y a mí, sólo las lágrimas.

31. (XXV)

Cuando en la noche te envuelven
las alas de tul del sueño
y tus tendidas pestañas
semejan arcos de ébano,
por escuchar los latidos 5
de tu corazón inquieto

ha observado la crítica, la *imitación* becqueriana del origen inglés
se realizó sobre la primera estrofa del poema décimo de las *Hebrew
Melodies*, de Byron. Ahora bien, esta primera estrofa byroniana pasó
a constituir únicamente la segunda del poema español. En ello estaría
la explicación de que esta segunda estrofa se encuentre subrayada
en el *Libro de los Gorriones*.

y reclinar tu dormida
cabeza sobre mi pecho,
 ¡diera, alma mía,
 cuanto poseo, 10
 la luz, el aire
 y el pensamiento!

 Cuando se clavan tus ojos
en un invisible objeto
y tus labios ilumina 15
de una sonrisa el reflejo,
por leer sobre tu frente
el callado pensamiento
que pasa como la nube
del mar sobre el ancho espejo, 20
 ¡diera, alma mía,
 cuanto deseo,
 la fama, el oro,
 la gloria, el genio!

 Cuando enmudece tu lengua 25
y se apresura tu aliento,
y tus mejillas se encienden
y entornas tus ojos negros,
por ver entre sus pestañas
brillar con húmedo fuego 30
la ardiente chispa que brota
del volcán de los deseos,
 diera, alma mía,
 por cuanto espero,
 la fe, el espíritu, 35
 la tierra, el cielo.

32. (LVII)

 Este armazón de huesos y pellejo
de pasear una cabeza loca
cansado se halla al fin y no lo extraño
porque aunque es la verdad que no soy viejo,
 de la parte de vida que me toca 5
en la vida del mundo, por mi daño

he hecho un uso tal, que juraría
que he condensado un siglo en cada día.

 Así, aunque ahora muriera
no podría decir que no he vivido, 10
que el sayo, al parecer nuevo por fuera,
conozco que por dentro ha envejecido.

 ¡Ha envejecido, sí; pese a mi estrella!
harto lo dice ya mi afán doliente;
que hay dolor que al pasar su horrible **huella** 15
graba en el corazón, si no en la frente.

33. (XXIV)

 Dos rojas lenguas de fuego
que a un mismo tronco enlazadas
se aproximan, y al besarse
forman una sola llama.

 Dos notas que del laúd 5
a un tiempo la mano arranca,
y en el espacio se encuentran
y armoniosas se abrazan.

 Dos olas que vienen juntas
a morir sobre una playa 10
y que al romper se coronan
con un penacho de plata.

 Dos jirones de vapor
que del lago se levantan,
y al reunirse en el cielo 15
forman una nube blanca.

 Dos ideas que al par brotan,
dos besos que a un tiempo estallan,
dos ecos que se confunden,
eso son nuestras dos almas.

34. (XLIII)

Dejé la luz a un lado y en el borde
de la revuelta cama me senté,
mudo, sombrío, la pupila inmóvil
clavada en la pared.

¿Qué tiempo estuve así? No sé: al dejarme 5
la embriaguez horrible de dolor,
expiraba la luz y en mis balcones
reía el sol.

Ni sé tampoco en tan terribles horas
en qué pensaba o qué pasó por mí; 10
sólo recuerdo que lloré y maldije,
y que en aquella noche envejecí.

35. (LII)

Olas gigantes que os rompéis bramando
en las playas desiertas y remotas,
envuelto entre la sábana de espumas,
¡llevadme con vosotras!

Ráfagas de huracán que arrebatáis 5
del alto bosque las marchitas hojas
arrastrado en el ciego torbellino,
¡llevadme con vosotras!

Nubes de tempestad que rompe el rayo
y en fuego encienden las sangrientas orlas, 10
arrebatado entre la niebla oscura,
¡llevadme con vosotras!

Llevadme por piedad a donde el vértigo
con la razón me arranque la memoria.
¡Por piedad! ¡tengo miedo de quedarme 15
con mi dolor a solas!

36. (LIV)

Cuando volvemos las fugaces horas
del pasado a evocar.
temblando brilla en sus pestañas negras
una lágrima pronta a resbalar.

Y al fin resbala y cae como gota [14] 5
de rocío al pensar
que cual hoy por ayer, por hoy mañana
volveremos los dos a suspirar.

37. (XX)

Sabe si alguna vez tus labios rojos
quema invi[si]ble atmósfera abrasada,
que el alma que hablar puede con los ojos
también puede besar con la mirada.

38. (LIII)

Volverán las oscuras golondrinas
en tu balcón sus nidos a colgar,
y otra vez con el ala a sus cristales
jugando llamarán.

Pero aquellas que el vuelo refrenaban 5
tu hermosura y mi dicha a contemplar,
aquellas que aprendieron nuestros nombres...
ésas... ¡no volverán!

14. La «gota de rocío», desde la inicial *violet dropping dew* byro-
niana (cfr. rima XIII), es expresión clave en Bécquer. En la prosa
es elemento reiterativo y en las Rimas se emplea tres veces y, en las
tres, como sinónimo poético de «lágrimas»: de la amada (rimas XIII
y LIV) o del día (rima LIII). En *La Gota de Rocío* (rima LXXXIII
en ediciones modernas), poema recogido por Gerardo Diego de un
autógrafo conservado en Olvega (Soria), no adopta esa significación,
sino el valor simbólico de «pureza virginal».

Volverán las tupidas madreselvas
de tu jardín las tapias a escalar
y otra vez a la tarde aún más hermosas
sus flores se abrirán.

Pero aquellas cuajadas de rocío
cuyas gotas mirábamos temblar
y caer como lágrimas del día...
ésas... ¡no volverán!

Volverán del amor en tus oídos
las palabras ardientes a sonar,
tu corazón de su profundo sueño
tal vcz despertará.

Pero mudo y absorto y de rodillas
como se adora a Dios ante su altar,
como yo te he querido... desengáñate,
así... ¡no te querrán!

39. (IV) [15]

No digáis que agotado su tesoro,
de asuntos falta, enmudeció la lira;
podrá no haber poetas: pero siempre
habrá poesía.

Mientras las ondas de la luz al beso
palpiten encendidas,
mientras el sol las desgarradas nubes
de fuego y oro vista,
mientras el aire en su regazo lleve
perfumes y armonías,

15. La rima IV fue colocada, con acierto, por los editores del poeta entre las teóricas del grupo primero y, como tal, ha sido analizada por la crítica, que basa todas sus afirmaciones en la creencia becqueriana (expuesta en sus *Cartas literarias a una mujer*) de que la *poseía es la vivencia* ante la realidad, y el *poema* es únicamente el *acto creador* que traduce esa vivencia. De ahí la tajante afirmación de los versos 4 y 5. Se trata de una de las rimas más difundidas de Bécquer.

mientras haya en el mundo primavera,
¡habrá poesía!

Mientras la humana ciencia no descubra
las fuentes de la vida,
y en el mar o en el cielo haya un abismo 15
que al cálculo resista,
mientras la humanidad siempre avanzando
no sepa a dó camina,
mientras haya un misterio para el hombre,
¡habrá poesía! 20

Mientras se sienta que se ríe el alma,
sin que los labios rían;
mientras se llore, sin que el llanto acuda
a nublar la pupila;
mientras el corazón y la cabeza 25
batallando prosigan,
mientras haya esperanzas y recuerdos,
¡habrá poesía!

Mientras haya unos ojos que reflejen
los ojos que los miran, 30
mientras responda el labio suspirando
al labio que suspira,
mientras sentirse puedan en un beso
dos almas confundidas,
mientras exista una mujer hermosa 35
¡habrá poesía!

40. (XXX) [16]

Asomaba a sus ojos una lágrima
y a mi labio una frase de perdón,
habló el orgullo y se enjugó su llanto,
y la frase en mis labios expiró.

16. Se trata de una de las composiciones más directamente in-
fluidas por un poema de Heine: el número 46 del *Lyrisches Inter-
mezzo*, traducido e incluido por Florentino Sanz en sus *Canciones
de Enrique Heine* (*Museo Universal*, en 1857).

Yo voy por un camino, ella, por otro, 5
pero al pensar en nuestro mutuo amor,
yo digo aún, ¿por qué callé aquel día?
Y ella dirá ¿por qué no lloré yo?

41. (LX)

Mi vida es un erial,
flor que toco se deshoja;
que en mi camino fatal
alguien va sembrando el mal
para que yo lo recoja. 5

42. (III)

Sacudimiento extraño
que agita las ideas
como huracán que empuja
las olas en tropel.

Murmullo que en el alma 5
se eleva y va creciendo
como volcán que sordo
anuncia que va a arder.

Deformes siluetas
de seres imposibles, 10
paisajes que aparecen
como al través de un tul.

Colores que fundiéndose
remedan en el aire
los átomos del Iris 15
que nadan en la luz.

Ideas sin palabras,
palabras sin sentido;
cadencias que no tienen
ni ritmo ni compás. 20

Memorias y deseos
de cosas que no existen;
accesos de alegría,
impulsos de llorar.

Actividad nerviosa 25
que no halla en qué emplearse;
sin riendas que la guíe,
caballo volador.

Locura que el espíritu
exalta y desfallece; 30
embriaguez divina
del genio creador.

Tal es la inspiración.

Gigante voz que el caos
ordena en el cerebro 35
y entre las sombras hace
la luz aparecer,

brillante rienda de oro
que poderosa enfrena
de la exaltada mente 40
el volador corcel.

Hilo de luz que en haces
los pensamientos ata,
sol que las nubes rompe
y toca en el cenit. 45

Inteligente mano
que en un collar de perlas
consigue las indóciles
palabras reunir.

Armonioso ritmo 50
que con cadencia y número
las fugitivas notas
encierra en el compás.

 Cincel que el bloque muerde
la estatua modelando, 55
y la belleza plástica
añade a la ideal.

 Atmósfera en que giran
con orden las ideas,
cual átomos que agrupa 60
recóndita atracción.

 Raudal en cuyas ondas
su sed la fiebre apaga,
descanso en que el espíritu
recobra su vigor. 65

 Tal es nuestra razón.

Con ambos siempre en lucha
y de ambas vencedor,
tan sólo al genio es dado
a un yugo atar las dos. 70

43. (XVI)

Si al mecer las azules campanillas
 de tu balcón,
crees que suspirando pasa el viento
 murmurador,
sabe que oculto entre las verdes hojas 5
 suspiro yo.

Si al resonar confuso a tus espaldas
 vago rumor,
crees que por tu nombre te ha llamado
 lejana voz, 10
sabe que entre las sombras que te cercan
 te llamo yo.

Si se turba medroso en la alta noche
 tu corazón,

al sentir en tus labios un aliento 15
abrasador,
sabe que, aunque invisible, al lado tuyo
respiro yo.

44. (LXXVII) [17]

Dices que tienes corazón, y sólo
lo dices porque sientes sus latidos;
eso no es corazón... es una máquina
que al compás que se mueve hace ruido.

45. (LXI)

Al ver mis horas de fiebre
e insomnio lentas pasar,
a la orilla de mi lecho,
¿quién se sentará?

Cuando la trémula mano 5
tienda próximo a expirar
buscando una mano amiga,
¿quién la estrechará?

Cuando la muerte vidrie
de mis ojos el cristal, 10
mis párpados aún abiertos,
¿quién los cerrará?

Cuando la campana suene
(si suena en mi funeral)
una oración al oírla, 15
¿quién murmurará?

17. La presente rima no figura en ninguna edición primitiva. Fue omitida en la de 1871 y sucesivas, aunque en *L.G.* no figura tachada como la número LXXIX. Fue publicada por vez primera por FRANZ SCHNEIDER, *Gustavo Adolfo Bécquer Leben und Schaffen unter besonderer Betonung des chronologischen Elementes* (Borna-Leipzig, 1914), tras el descubrimiento del manuscrito de *L.G.*

Cuando mis pálidos restos
oprima la tierra ya,
sobre la olvidada fosa
¿quién vendrá a llorar? 20

Quién en fin al otro día,
cuando el sol vuelva a brillar,
de que pasé por el mundo,
¿quién se acordará?

46. (X)

Los invisibles átomos del aire
en derredor palpitan y se inflaman,
el cielo se deshace en rayos de oro,
la tierra se estremece alborozada.
Oigo flotando en olas de armonías 5
rumor de besos y batir de alas;
mis párpados se cierran... ¿Qué sucede?
¿Dime?... ¡Silencio! ¡Es el amor que pasa!

47. (LXV)

Llegó la noche y no encontré un asilo
¡y tuve sed!... mis lágrimas bebí;
¡y tuve hambre! ¡Los hinchados ojos
cerré para morir!

¿Estaba en un desierto? Aunque a mi oído 5
de las turbas llegaba el ronco hervir,
yo era huérfano y pobre... El mundo estaba
¡desierto... para mí!

48. (LXXVIII) [18]

Fingiendo realidades
con sombra vana,

18. La presente rima no fue recogida en *Ed. 1871*, pese a no figurar tachada en *L.G.* Fue publicada por Schneider (ob. cit.).

delante del Deseo
va la Esperanza.

Y sus mentiras 5
como el Fénix renacen
de sus cenizas.

49. (LXIX) [19]

Al brillar un relámpago nacemos
y aún dura su fulgor cuando morimos;
¡tan corto es el vivir!

La Gloria y el Amor tras que corremos
sombras de un sueño son que perseguimos, 5
¡despertar es morir!

50. (XVII)

Hoy la tierra y los cielos me sonríen,
hoy llega al fondo de mi alma el sol,
hoy la he visto..., la he visto y me ha mirado...
¡hoy creo en Dios!

51. (XI)

—Yo soy ardiente, yo soy morena,
yo soy el símbolo de la pasión,
de ansia de goces mi alma está llena.
¿A mí me buscas?
 —No es a ti: no. 5

—Mi frente es pálida, mis trenzas de oro,
puedo brindarte dichas sin fin.
Yo de ternura guardo un tesoro.

19. Fue publicada, en 1866, en *El Museo Universal*, bajo el epí-
grafe *¡La vida es sueño!*, al que se añade en el lado derecho: *Cal-
derón*.

¿A mí me llamas?
—No: no es a ti. 10

—Yo soy un sueño, un imposible,
vano fantasma de niebla y luz;
soy incorpórea, soy intangible:
no puedo amarte.
—¡Oh, ven; ven tú! 15

52. (XIX)

Cuando sobre el pecho inclinas
la melancólica frente
una azucena tronchada
me pareces.

Porque al darte la pureza 5
de que es símbolo celeste,
como a ella te hizo Dios
de oro y nieve.

53. (XXIX) [20]

La bocca mi bacciò tutto tremante...

Sobre la falda tenía
el libro abierto,
en mi mejilla tocaban
sus rizos negros:
no veíamos las letras 5
ninguno, creo,

20. Por una declaración consignada en el artículo *Los campos Elíseos*, publicado el 7 de agosto de 1864, es posible constatar una relectura por parte de Bécquer de los «inmortales poemas» de Dante y de Virgilio, hacia 1864, durante su estancia en Veruela. La figura de Francesca da Rimini fue tema predilecto del romanticismo europeo. El verso de Dante, que figura como lema, es el número 136 del Canto Quinto del *Inferno*, en el que Francesca relata al poeta, cómo Paolo la besó, mientras ambos leían en la historia de *Lanzarote del Lago*, que Lanzarote besa a Ginebra. Fue suprimido en *Ed. 1871*.

y, sin embargo, guardábamos
hondo silencio.
 ¿Cuánto duró? Ni aun entonces
pude saberlo. **10**
Sólo sé que no se oía
más que el aliento,
que apresurado escapaba
del labio seco.
Sólo sé que nos volvimos **15**
los dos a un tiempo
y nuestros ojos se hallaron
y sonó un beso.

 Creación de Dante era el libro,
era su Infierno. **20**
 Cuando a él bajamos los ojos
yo dije trémulo:
¿Comprendes ya que un poema
cabe en un verso?
Y ella respondió encendida: **25**
¡Ya lo comprendo!

54. (XXXVI)

 Si de nuestros agravios en un libro
se escribiese la historia
y se borrase en nuestras almas cuanto
se borrase en sus hojas;

 te quiero tanto aún; dejó en mi pecho 5
tu amor huellas tan hondas,
que sólo con que tú borrases una
¡las borraba yo todas!

55. (LXXIX) [21]

Una mujer me ha envenenado el alma,
otra mujer me ha envenenado el cuerpo;
ninguna de las dos vino a buscarme,
yo de ninguna de las dos me quejo.

Como el mundo es redondo, el mundo rueda. 5
Si mañana, rodando, este veneno
envenena a su vez ¿por qué acusarme?
¿Puedo dar más de lo que a mí me dieron?

56. (LXII)

Primero es un albor trémulo y vago,
raya de inquieta luz que corta el mar;
luego chispea y crece y se difunde
en gigante explosión de claridad.

La brilladora lumbre es la alegría; 5
la temerosa sombra es el pesar:
¡Ah! en la oscura noche de mi alma,
¿cuándo amanecerá?

57. (VI)

Como la brisa que la sangre orea
sobre el oscuro campo de batalla,
cargada de perfumes y armonías
en el silencio de la noche vaga.

Símbolo del dolor y la ternura, 5
del bardo inglés en el horrible drama
la dulce Ofelia, la razón perdida,
cogiendo flores y cantando pasa.

21. La rima, tachada íntegramente en el autógrafo, no fue publicada en *Ed. 1871*. El texto de *L.G.* fue reproducido por vez primera por Schneider (ob. cit.). La rima presenta una notable influencia de Heine, a través de las versiones de Eulogio Florentino Sanz.

58. (XXVIII)

Cuando entre la sombra oscura
perdida una voz murmura
turbando su triste calma,
si en el fondo de mi alma
la oigo dulce resonar, 5

dime: ¿es que el viento en sus giros
se queja, o que tus suspiros
me hablan de amor al pasar?

Cuando el sol en mi ventana
rojo brilla a la mañana 10
y mi amor tu sombra evoca,
si en mi boca de otra boca
sentir creo la impresión,

dime: ¿es que ciego deliro,
o que un beso en un suspiro 15
me envía tu corazón?

Y en el luminoso día
y en la alta noche sombría,
si en todo cuanto rodea
al alma que te desea
te creo sentir y ver, 20

dime: ¿es que toco y respiro
soñando, o que en un suspiro
me das tu aliento a beber?

59. (LXX)

¡Cuántas veces al pie de las musgosas
paredes que la guardan
oí la esquila que al mediar la noche
a los maitines llama!

¡Cuántas veces trazó mi silueta
la luna plateada,
junto a la del ciprés, que de su huerto
se asoma por las tapias!

Cuando en sombras la iglesia se envolvía
de su ojiva calada,
¡cuántas veces temblar sobre los vidrios
vi el fulgor de la lámpara!

Aunque el viento en los ángulos oscuros
de la torre silbara,
del coro entre las voces percibía
su voz vibrante y clara.

En las noches de invierno, si un medroso
por la desierta plaza
se atrevía a cruzar, al divisarme,
el paso aceleraba.

Y no faltó una vieja que en el torno
dijese a la mañana
que de algún sacristán muerto en pecado
era yo el alma.

A oscuras conocía los rincones
del atrio y la portada;
de mis pies las ortigas que allí crecen
las huellas tal vez guardan.

Los búhos, que espantados me seguían
con sus ojos de llamas,
llegaron a mirarme con el tiempo
como a un buen camarada.

A mi lado sin miedo los reptiles
se movían a rastras;
¡hasta los mudos santos de granito
creo que me saludaban!

60. (XV)

Cendal flotante de leve bruma,
rizada cinta de blanca espuma,
rumor sonoro
de arpa de oro,
beso del aura, onda de luz, 5
eso eres tú.

Tú, sombra aérea, que cuantas veces
voy a tocarte te desvaneces.
¡Como la llama, como el sonido,
como la niebla, como el gemido 10
del lago azul!

En mar sin playas onda sonante,
en el vacío cometa errante,
largo lamento
del ronco viento, 15
ansia perpetua de algo mejor,
eso soy yo.

¡Yo, que a tus ojos en mi agonía
los ojos vuelvo de noche y día;
yo, que incansable corro y demente 20
tras una sombra, tras la hija ardiente
de una visión!

61. (LXVIII)

No sé lo que he soñado
en la noche pasada.
Triste, muy triste debió ser el sueño
pues despierto, la angustia me duraba.

Noté al incorporarme 5
húmeda la almohada
y por primera [vez] sentí, al notarlo,
de un amargo placer henchirse el alma.

Triste cosa es el sueño
que llanto nos arranca, 10
mas tengo en mi tristeza una alegría...
¡Sé que aún me quedan lágrimas!

62. (V)

Espíritu sin nombre,
indefinible esencia,
yo vivo con la vida
sin formas de la idea.

Yo nado en el vacío 5
del sol tiemblo en la hoguera,
palpito entre las sombras
y floto con las nieblas.

Yo soy el fleco de oro
de la lejana estrella, 10
yo soy de la alta luna
la luz tibia y serena.

Yo soy la ardiente nube
que en el ocaso ondea,
yo soy del astro errante 15
la luminosa estela.

Yo soy nieve en las cumbres,
soy fuego en las arenas,
azul onda en los mares
y espuma en las riberas. 20

En el laúd soy nota,
perfume en la violeta,
fugaz llama en las tumbas
y en las ruinas yedra.

Yo atrueno en el torrente 25
y silbo en la centella
y ciego en el relámpago
y rugo en la tormenta.

Yo río en los alcores,
susurro en la alta yerba, 30
suspiro en la onda pura
y lloro en la hoja seca.

Yo ondulo con los átomos
del humo que se eleva
y al cielo lento sube 35
en espiral inmensa.

Yo en los dorados hilos
que los insectos cuelgan,
me mezco entre los árboles
en la ardorosa siesta. 40

Yo corro tras las ninfas
que en la corriente fresca
del cristalino arroyo
desnudas juguetean.

Yo en bosques de corales 45
que alfombran blancas perlas,
persigo en el océano
las náyades ligeras.

Yo en las cavernas cóncavas
do el sol nunca penetra, 50
mezclándome a los gnomos
contemplo sus riquezas.

Yo busco de los siglos
las ya borradas huellas
y sé de esos imperios 55
de que ni el nombre queda.

Yo sigo en raudo vértigo
los mundos que voltean,
y mi pupila abarca
la creación entera. 60

Yo sé de esas regiones
a do un rumor no llega,
y donde informes astros
de vida un soplo esperan.

Yo soy sobre el abismo 65
el puente que atraviesa,
yo soy la ignota escala
que el cielo une a la tierra.

Yo soy el invisible
anillo que sujeta 70
el mundo de la forma
al mundo de la idea.

Yo en fin soy ese espíritu,
desconocida esencia,
perfume misterioso 75
de que es vaso el poeta.

63. (XXVII)

Despierta tiemblo al mirarte,
dormida me atrevo a verte;
por eso, alma de mi alma,
yo velo mientras tú duermes.

Despierta ríes y al reír tus labios 5
inquietos me parecen
relámpagos de grana que serpean
sobre un cielo de nieve.

Dormida, los extremos de tu boca
pliega sonrisa leve, 10
suave como el rastro luminoso
que deja un sol que muere.

¡Duerme!

Despierta miras y al mirar, tus ojos
húmedos resplandecen, 15

como la onda azul en cuya cresta
chispeando el sol hiere.

Al través de tus párpados dormida,
tranquilo fulgor vierten,
cual derrama de luz templado rayo 20
lámpara transparente.

¡Duerme!

Despierta hablas y al hablar, vibrantes
tus palabras parecen
lluvia de perlas que en dorada copa 25
se derrama a torrentes.

Dormida en el murmullo de tu aliento
acompasado y tenue
escucho yo un poema que mi alma
enamorada entiende. 30

¡Duerme!

Sobre el corazón la mano
me he puesto porque no suene
su latido y de la noche
turbe la calma solemne. 35

De tu balcón las persianas
cerré ya porque no entre
el resplandor enojoso
de la aurora y te despierte.

¡Duerme! 40

64. (LXIV)

Como guarda el avaro su tesoro,
guardaba mi dolor;
le quería probar que hay algo eterno
a la que eterno me juró su amor.

Mas hoy le llamo en vano y oigo al tiempo 5
que le acabó, decir:
¡ah, barro miserable, eternamente
no podrás ni aun sufrir!

65. (XXXIV)

Cruza callada y son sus movimientos
silenciosa armonía:
suenan sus pasos y al sonar recuerdan
del himno alado la cadencia rítmica.

Los ojos entreabre, aquellos ojos 5
tan claros como el día,
y la tierra y el cielo, cuanto abarcan,
arden con nueva luz en sus pupilas.

Ríe, y su carcajada tiene notas
del agua fugitiva: 10
llora, y es cada lágrima un poema
de ternura infinita.

Ella tiene la luz, tiene el perfume,
el color y la línea,
la forma engendradora de deseos, 15
la expresión, fuente eterna de poesía.

¿Que es estúpida? ¡Bah! Mientras callando
guarde oscuro el enigma,
siempre valdrá lo que yo creo que calla
más que lo que cualquiera otra me diga. 20

66. (XL)

Su mano entre mis manos,
sus ojos en mis ojos,
la amorosa cabeza
apoyada en mi hombro,
Dios sabe cuántas veces 5
con paso perezoso

hemos vagado juntos
bajo los altos olmos
que de su casa prestan
misterio y sombra al pórtico. 10
Y ayer... un año apenas,
pasado como un soplo,
con qué exquisita gracia,
con qué admirable aplomo,
me dijo al presentarnos 15
un amigo oficioso:
«Creo que en alguna parte
he visto a usted.» ¡Ah bobos,
que sois de los salones
comadres de buen tono 20
y andabais allí a caza
de galantes embrollos;
qué historia habéis perdido,
qué manjar tan sabroso
para ser devorado 25
sotto voce en un corro
detrás del abanico
de plumas y de oro!

.

¡Discreta y casta luna,
copudos y altos olmos, 30
paredes de su casa,
umbrales de su pórtico,
callad y que el secreto
no salga de vosotros!

Callad; que por mi parte 35
yo lo he olvidado todo:
y ella... ella, no hay máscara
semejante a su rostro.

67. (LXVI)

¿De dónde vengo?... El más horrible y áspero
de los senderos busca;
las huellas de unos pies ensangrentados
sobre la roca dura,
los despojos de un alma hecha jirones 5

en las zarzas agudas
te dirán el camino
que conduce a mi cuna.

 ¿Adónde voy? El más sombrío y [?] triste
de los páramos cruza, 10
valle de eternas nieves y de eternas
melancólicas brumas.

 En donde esté una piedra solitaria
sin inscripción alguna,
donde habite el olvido, 15
allí estará mi tumba.

68. (LXIII)

 Como enjambre de abejas irritadas,
de un oscuro rincón de la memoria
salen a perseguirme los recuerdos
de las pasadas horas.

 Yo los quiero ahuyentar. ¡Esfuerzo inútil! 5
Me rodean, me acosan,
y unos tras otros a clavarme vienen
el agudo aguijón que el alma encona.

69. (XXXIII)

 Es cuestión de palabras y no obstante
ni tú ni yo jamás,
después de lo pasado, convendremos
en quién la culpa está.

 ¡Lástima que el Amor un diccionario 5
no tenga donde hallar
cuándo el orgullo es simplemente orgullo
y cuándo es dignidad!

70. (LI)

De lo poco de vida que me resta
diera con gusto los mejores años,
por saber lo que a otros
de mí has hablado.

Y esta vida mortal y de la eterna 5
lo que me toque, si me toca algo,
por saber lo que a solas
de mí has pensado.

71. (LXXIII)

Cerraron sus ojos
que aún tenía abiertos,
taparon su cara
con un blanco lienzo,
y unos sollozando, 5
otros en silencio,
de la triste alcoba
todos se salieron.

La luz que en un vaso
ardía en el suelo, 10
al muro arrojaba
la sombra del lecho,
y entre aquella sombra
veíase a intervalos
dibujarse rígida 15
la forma del cuerpo.

Despertaba el día
y a su albor primero
con sus mil ruidos
despertaba el pueblo. 20
Ante aquel contraste
de vida y misterio,
de luz y tinieblas,
yo pensé un momento:

¡¡Dios mío, qué solos
se quedan los muertos!! 25

 De la casa, en hombros,
lleváronla al templo,
y en una capilla
dejaron el féretro. 30
Allí rodearon
sus pálidos restos
de amarillas velas
y de paños negros.

 Al dar de las Ánimas 35
el toque postrero,
acabó una vieja
sus últimos rezos,
cruzó la ancha nave,
las puertas gimieron 40
y el santo recinto
quedóse desierto.

 De un reloj se oía
compasado el péndulo
y de algunos cirios 45
el chisporroteo.
Tan medroso y triste,
tan oscuro y yerto
todo se encontraba
que pensé un momento: 50

¡¡Dios mío, qué solos
se quedan los muertos!!

 De la alta campana
la lengua de hierro
le dio volteando 55
su adiós lastimero.
El luto en las ropas,
amigos y deudos
cruzaron en fila
formando el cortejo. 60

Del último asilo,
oscuro y estrecho,
abrió la piqueta
el nicho a un extremo:
allí la acostaron, 65
tapiáronle luego,
y con un saludo
despidióse el duelo.

La piqueta al hombro
el sepulturero, 70
cantando entre dientes,
se perdió a lo lejos.
La noche se entraba,
el sol se había puesto:
perdido en las sombras 75
yo pensé un momento:

¡¡Dios mío, qué solos
se quedan los muertos!!

En las largas noches
del helado invierno, 80
cuando las maderas
crujir hace el viento
y azota los vidrios
el fuerte aguacero,
de la pobre niña 85
a veces me acuerdo.

Allí cae la lluvia
con un son eterno:
Allí la combate
el soplo del cierzo. 90
Del húmedo muro
tendida en el hueco,
¡acaso de frío
se hielan sus huesos!...

.

 ¿Vuelve el polvo al polvo? 95
¿Vuela el alma al cielo?
¿Todo es, sin espíritu,
podredumbre y cieno?
No sé; pero hay algo
que explicar no puedo, 100
algo que repugna
aunque es fuerza hacerlo
a dejar tan tristes,
¡tan solos los muertos!

72. (XIV)

Te vi un punto y flotando ante mis ojos
la imagen de tus ojos se quedó,
como la mancha oscura orlada en fuego
que flota y ciega si se mira al sol.

Y dondequiera que la vista clavo 5
torno a ver sus pupilas llamear;
y no te encuentro a ti, no es tu mirada,
unos ojos los tuyos, nada más.

De mi alcoba en el ángulo los miro
desasidos fantásticos lucir: 10
cuando duermo los siento que se ciernen
de par en par abiertos sobre mí.

Yo sé que hay fuegos fatuos que en la noche
llevan al caminante a perecer:
yo me siento arrastrado por tus ojos, 15
pero adónde me arrastran no lo sé.

73. (XXXII)

Pasaba arrolladora en su hermosura
y el paso le dejé;
ni aun a mirarla me volví, y, no obstante,
algo a mi oído murmuró: «*ésa es*».

¿Quién reunió la tarde a la mañana? 5
Lo ignoro; sólo sé
que en una breve noche de verano
se unieron los crepúsculos, y... «*fue*».

74. (LXXVI)

En la imponente nave
del templo bizantino,
vi la gótica tumba a la indecisa
luz que temblaba en los pintados vidrios.

Las manos sobre el pecho, 5
y en las manos un libro,
una mujer hermosa reposaba
sobre la urna del cincel prodigio.

Del cuerpo abandonado
al dulce peso hundido, 10
cual si de blanda pluma y raso fuera
se plegaba su lecho de granito.

De la sonrisa última
el resplandor divino,
guardaba el rostro, como el cielo guarda 15
del sol que muere el rayo fugitivo.

Del cabezal de piedra
sentados en el filo,
dos ángeles, el dedo sobre el labio,
imponían silencio en el recinto. 20

No parecía muerta;
de los arcos macizos
parecía dormir en la penumbra
y que en sueños veía el paraíso.

Me acerqué de la nave 25
al ángulo sombrío,
con el callado paso que se llega
junto a la cuna donde duerme un niño.

La contemplé un momento
y aquel resplandor tibio,
aquel lecho de piedra que ofrecía
próximo al muro otro lugar vacío,

en el alma avivaron
la sed de lo infinito,
el ansia de esa vida de la muerte,
para la que un instante son los siglos...

.
.

Cansado del combate
en que luchando vivo,
alguna vez me acuerdo con envidia
de aquel rincón oscuro y escondido.

De aquella muda y pálida
mujer me acuerdo y digo:
¡Oh, qué amor tan callado el de la muerte!
¡Qué sueño el del sepulcro tan tranquilo!

75. (XXXIX)

¿A qué me lo decís? Lo sé: es mudable,
es altanera y vana y caprichosa,
antes que el sentimiento de su alma
brotará el agua de la estéril roca.

Sé que en su corazón, nido de sierpes,
no hay una fibra que al amor responda;
que es una estatua inanimada...; pero...
¡es tan hermosa!

76. (LXXI) [22]

No dormía; vagaba en ese limbo
en que cambian de forma los objetos,
misteriosos espacios que separan
la vigilia del sueño.

Las ideas que en ronda silenciosa 5
daban vueltas en torno a mi cerebro,
poco a poco en su danza se movían
con un compás más lento.

De la luz que entra al alma por los ojos
los párpados velaban el reflejo; 10
pero otra luz el mundo de visiones
alumbraba por dentro.

En este punto resonó en mi oído
un rumor semejante al que en el templo
vaga confuso al terminar los fieles 15
con un *Amén* sus rezos.

Y oí como una voz delgada y triste
que por mi nombre me llamó a lo lejos,
y sentí olor de cirios apagados,
de humedad y de incienso. 20

.
.

Pasó la noche y del olvido en brazos
caí cual piedra en su profundo seno:
No obstante al despertar exclamé: «¡Alguien
que yo quería ha muerto!»

22. El estado de sopor, intermedio entre «vigilia» y «sueño», fue
descrito vivencialmente por Bécquer en el artículo publicado en *El
Contemporáneo*, el 30 de abril de 1863: «Entre sueños.» En él, Béc-
quer analiza las formas imaginativas de tres estados psíquicos aná-
logos al de la rima LXXI. Pero lo que en el artículo se desarrolla
en tono intrascendente, en la rima cobra una connotación angustiosa
y premonitoria.

77. (XLVI)

Me ha herido recatándose en las sombras,
sellando con un beso su traición.
Los brazos me echó al cuello y por la espalda
me partió a sangre fría el corazón.

Y ella impávida sigue su camino,
feliz, risueña, impávida, ¿y por qué?
Porque no brota sangre de la herida...
Porque el muerto está en pie.

78. (XXXV)

¡No me admiró tu olvido! Aunque de un día
me admiró tu cariño mucho más,
porque lo que hay en mí que vale algo,
eso... ni lo pudistes sospechar.

79. (XII)

Porque son, niña, tus ojos
verdes como el mar te quejas;
verdes los tienen las náyades,
verdes los tuvo Minerva,
y verdes son las pupilas
de las hurís del Profeta.

El verde es gala y ornato
del bosque en la primavera.
Entre sus siete colores
brillante el Iris lo ostenta.
Las esmeraldas son verdes,
verde el color del que espera
y las ondas del Océano
y el laurel de los poetas.

Es tu mejilla temprana
rosa de escarcha cubierta,
en que el carmín de los pétalos
se ve al través de las perlas.

Y sin embargo,
sé que te quejas, 20
porque tus ojos
crees que la afean:
pues no lo creas.
Que parecen sus pupilas,
húmedas, verdes e inquietas, 25
tempranas hojas de almendro
que al soplo del aire tiemblan.

Es tu boca de rubíes
purpúrea granada abierta
que en el estío convida 30
a apagar la sed con ella.
Y sin embargo,
sé que te quejas
porque tus ojos
crees que la afean: 35
pues no lo creas.
Que parecen, si enojada
tus pupilas centellean,
las olas del mar que rompen
en las cantábricas peñas. 40

Es tu frente que corona
crespo el oro en ancha trenza,
nevada cumbre en que el día
su postreza luz refleja.
Y sin embargo, 45
sé que te quejas
porque tus ojos
crees que la afean:
pues no lo creas.
Que entre las rubias pestañas, 50
junto a las sienes, semejan
broches de esmeralda y oro
que un blanco armiño sujetan.

Porque son, niña, tus ojos
verdes como el mar te quejas; 55
quizá si negros o azules
se tornasen lo sintieras.

LEYENDAS

EL MONTE DE LAS ÁNIMAS [1]

(LEYENDA SORIANA)

L A noche de difuntos, me desperté a no sé qué hora el doble de las campanas. Su tañido monótono y eterno me trajo a las mientes esta tradición que oí hace poco en Soria.

Intenté dormir de nuevo. ¡Imposible! Una vez aguijoneada, la imaginación es un caballo que se desboca y al que no sirve tirarle de la rienda. Por pasar el rato, me decidí a escribirla, como en efecto lo hice.

A las doce de la mañana, después de almorzar bien, y con un cigarro en la boca, no le hará mucho efecto a los lectores de *El Contemporáneo*. Yo la oí en el mismo lugar en que acaeció, y la he escrito volviendo algunas veces la cabeza con miedo, cuando sentía crujir los cristales de mi balcón, estremecidos por el aire frío de la noche.

Sea de ella lo que quiera, *allá* va, como el caballo de copas.

I

—Atad los perros, haced la señal con las trompas para que se reúnan los cazadores y demos la vuelta a la ciudad. La noche se acerca, es día de Todos los Santos y estamos en el Monte de las Ánimas.

—¡Tan pronto!

—A ser otro día, no dejara yo de concluir con ese rebaño de lobos que las nieves del Moncayo han arrojado de sus madrigueras; pero hoy es imposible. Dentro de poco sonará la oración en los Templarios, y las ánimas de los difuntos comenzarán a tañer su campana en la capilla del monte.

—¡En esa capilla ruinosa! ¡Bah! ¿Quieres asustarme?

—No, hermosa prima. Tú ignoras cuanto sucede en este

1. Publicada en *El Contemporáneo*, Madrid, 7 de noviembre de 1861.

país, porque aún no hace un año que has venido a él desde muy lejos. Refrena tu yegua, yo también pondré la mía al paso, y mientras dure el camino te contaré esa historia.

Los pajes se reunieron en alegres y bulliciosos grupos. Los condes de Borges y de Alcudiel montaron en sus magníficos caballos, y todos juntos siguieron a sus hijos Beatriz y Alonso, que precedían la comitiva a bastante distancia.

Mientras duraba el camino, Alonso narró en estos términos la prometida historia:

—Ese monte que hoy llaman de las Ánimas pertenecía a los Templarios, cuyo convento ves allí, a la margen del río. Los templarios eran guerreros y religiosos a la vez. Conquistada Soria a los árabes, el rey los hizo venir de lejanas tierras para defender la ciudad por la parte del puente, haciendo en ello notable agravio a sus nobles de Castilla, que así hubieran solos sabido defenderla como solos la conquistaron. Entre los caballeros de la nueva y poderosa orden y los hidalgos de la ciudad fermentó por algunos años, y estalló al fin, un odio profundo. Los primeros tenían acotado ese monte, donde reservaban caza abundante para satisfacer sus necesidades y contribuir a sus placeres. Los segundos determinaron organizar una gran batida en el coto, a pesar de las severas prohibiciones de los *clérigos con espuelas*, como llamaban a sus enemigos. Cundió la voz del reto, y nada fue parte a detener a los unos en su manía de cazar y a los otros en su empeño de estorbarlo. La proyectada expedición se llevó a cabo. No se acordaron de ella las fieras. Antes la tendrían presente tantas madres como arrastraron sendos lutos por sus hijos. Aquello no fue una cacería. Fue una batalla espantosa: el monte quedó sembrado de cadáveres. Los lobos, a quienes se quiso exterminar, tuvieron un sangriento festín. Por último, intervino la autoridad del rey: el monte, maldita ocasión de tantas desgracias, se declaró abandonado, y la capilla de los religiosos, situada en el mismo monte y en cuyo atrio se enterraron juntos amigos y enemigos, comenzó a arruinarse. Desde entonces dicen que cuando llega la noche de difuntos se oye doblar sola la campana de la capilla, y que las ánimas de los muertos envueltas en jirones de sus sudarios, corren como en una cacería fantástica por entre las breñas y los zarzales. Los ciervos braman espantados, los lobos aúllan, las culebras dan horrorosos silbidos, y al otro día se han

visto impresas en la nieve las huella de los descarnados pies de los esqueletos. Por eso en Soria lo llamamos el Monte de las Ánimas, y por eso he querido salir de él antes que cierre la noche.

La relación de Alonso concluyó justamente cuando los dos jóvenes llegaban al extremo del puente que da paso a la ciudad por aquel lado. Allí esperaron al resto de la comitiva, la cual, después de incorporársele los dos jinetes, se perdió por entre las estrechas y oscuras calles de Soria.

II

Los servidores acababan de levantar los manteles; la alta chimenea gótica del palacio de los condes de Alcudiel despedía un vivo resplandor, iluminando algunos grupos de damas y caballeros que alrededor de la lumbre conversaban familiarmente, y el viento azotaba los emplomados vidrios de las ojivas del salón.

Solas dos personas parecían ajenas a la conversación general: Beatriz y Alonso. Beatriz seguía con los ojos, y absorta en un vago pensamiento, los caprichos de la llama. Alonso miraba el reflejo de la hoguera chispear en las azules pupilas de Beatriz.

Ambos guardaban hacía rato un profundo silencio.

Las dueñas referían, a propósito de la noche de difuntos, cuentos temerosos, en que los espectros y los aparecidos representaban el principal papel; y las campanas de las iglesias de Soria doblaban a lo lejos con un tañido monótono y triste.

—Hermosa prima —exclamó al fin Alonso, rompiendo el largo silencio en que se encontraban—, pronto vamos a separarnos, tal vez para siempre; las áridas llanuras de Castilla, sus costumbres toscas y guerreras, sus hábitos sencillos y patriarcales, sé que no te gustan; te he oído suspirar varias veces, acaso por algún galán de tu lejano señorío.

Beatriz hizo un gesto de fría indiferencia: todo un carácter de mujer se reveló en aquella desdeñosa contracción de sus delgados labios.

—Tal vez por la pompa de la corte francesa, donde hasta aquí has vivido —se apresuró a añadir el joven—. De un

modo o de otro, presiento que no tardaré en perderte... Al separarnos, quisiera que llevases una memoria mía... ¿Te acuerdas cuando fuimos al templo a dar gracias a Dios por haberte devuelto la salud que viniste a buscar a esta tierra? El joyel que sujetaba la pluma de mi gorra cautivó tu atención. ¡Qué hermoso estaría sujetando un velo sobre tu oscura cabellera! Ya ha prendido el de una desposada; mi padre se lo regaló a la que me dio el ser, y ella lo llevó al altar... ¿Lo quieres?

—No sé en el tuyo —contestó la hermosa—; pero en mi país una prenda recibida compromete una voluntad. Sólo en un día de ceremonia debe aceptarse un presente de manos de un deudo..., que aún puede ir a Roma sin volver con las manos vacías.

El acento helado con que Beatriz pronunció estas palabras turbó un momento al joven que, después de serenarse, dijo con tristeza:

—Lo sé, prima; pero hoy se celebran Todos los Santos, y el tuyo entre todos; hoy es día de ceremonias y presentes. ¿Quieres aceptar el mío?

Beatriz se mordió ligeramente los labios y extendió la mano para tomar la joya, sin añadir una palabra.

Los dos jóvenes volvieron a quedarse en silencio, y volvióse a oír la cascada voz de las viejas que hablaban de brujas y de trasgos, y el zumbido del aire que hacía crujir los vidrios de las ojivas, y el triste y monótono doblar de las campanas.

Al cabo de algunos minutos, el interrumpido diálogo tornó a anudarse de este modo:

—Y antes que concluya el día de Todos los Santos, en que así como el tuyo se celebra el mío, y puedes, sin atar su voluntad, dejarme un recuerdo, ¿no lo harás? —dijo él, clavando una mirada en la de su prima, que brilló como un relámpago, iluminada por un pensamiento diabólico.

—¿Por qué no? —exclamó ésta, llevándose la mano al hombro derecho como para buscar alguna cosa entre los pliegues de su ancha manga de terciopelo bordado de oro. Después, con una infantil expresión de sentimiento, añadió—: ¿Te acuerdas de la banda azul que llevé hoy a la cacería, y que por no sé qué emblema de su color me dijiste que era la divisa de tu alma?

—Sí.

—¡Pues... se ha perdido! Se ha perdido, y pensaba dejártela como un recuerdo.

—¡Se ha perdido! ¿Y dónde? —preguntó Alonso, incorporándose de su asiento y con una indescriptible expresión de temor y esperanza.

—No sé... En el monte, acaso.

—¡En el Monte de las Ánimas! —murmuró, palideciendo y dejándose caer sobre el sitial—. ¡En el Monte de las Ánimas! —luego prosiguió, con voz entrecortada y sorda—: Tú lo sabes, porque lo habrás oído mil veces. En la ciudad, en toda Castilla, me llaman el rey de los cazadores. No habiendo aún podido probar mis fuerzas en los combates, como mis ascendientes, he llevado a esa diversión, imagen de la guerra, todos los bríos de mi juventud, todo el ardor hereditario en mi raza. La alfombra que pisan tus pies son despojos de fieras que he muerto por mi mano. Yo conozco sus guaridas y sus costumbres, yo he combatido con ellas de día y de noche, a pie y a caballo, solo y en batida, y nadie dirá que me ha visto huir el peligro en ninguna ocasión. Otra noche volaría por esa banda, y volaría gozoso como a una fiesta; y, sin embargo, esta noche..., esta noche, ¿a qué ocultártelo?, tengo miedo. ¿Oyes? Las campanas doblan, la oración ha sonado en San Juan del Duero, las ánimas del monte comenzarán ahora a levantar sus amarillentos cráneos de entre las malezas que cubren sus fosas... ¡Las ánimas!, cuya sola vista puede helar de horror la sangre del más valiente, tornar sus cabellos blancos o arrebatarle en el torbellino de su fantástica carrera como una hoja que arrastra el viento sin que se sepa adónde.

Mientras el joven hablaba, una sonrisa imperceptible se dibujó en los labios de Beatriz, que, cuando hubo concluido, exclamó en un tono indiferente y mientras atizaba el fuego del hogar, donde saltaba y crujía la leña, arrojando chispas de mil colores:

—¡Oh! Eso, de ningún modo. ¡Qué locura! ¡Ir ahora al monte por semejante friolera! ¡Una noche tan oscura, noche de difuntos y cuajado el camino de lobos!

Al decir esta última frase la recargó de un modo tan especial, que Alonso no pudo menos de comprender toda su amarga ironía; movido como por un resorte se puso de pie, se pasó la mano por la frente, como para arrancarse el miedo que estaba en su cabeza y no en su corazón, y con

voz firme exclamó, dirigiéndose a la hermosa, que estaba aún inclinada sobre el hogar, entreteniéndose en revolver el fuego:

—Adiós, Beatriz, adiós. Hasta... pronto.

—¡Alonso, Alonso! —dijo ésta, volviéndose con rapidez; pero cuando quiso o aparentó querer detenerle, el joven había desaparecido.

A los pocos minutos se oyó el rumor de un caballo que se alejaba al galope. La hermosa, con una radiante expresión de orgullo satisfecho que coloreó sus mejillas, prestó atento oído a aquel rumor que se debilitaba, que se perdía, que se desvaneció por último.

Las viejas, en tanto, continuaban en sus cuentos de ánimas aparecidas; el aire zumbaba en los vidrios del balcón, y las campanas de la ciudad doblaban a lo lejos.

III

Había pasado una hora, dos, tres; la medianoche estaba a punto de sonar, cuando Beatriz se retiró a su oratorio. Alonso no volvía, no volvía, y, a querer, en menos de una hora pudiera haberlo hecho.

—¡Habrá tenido miedo! —exclamó la joven, cerrando su libro de oraciones y encaminándose a su lecho, después de haber intentado inútilmente murmurar algunos de los rezos que la Iglesia consagra en el día de difuntos a los que ya no existen.

Después de haber apagado la lámpara y cruzado las dobles cortinas de seda, se durmió; se durmió con un sueño inquieto, ligero, nervioso.

Las doce sonaron en el reloj del Postigo. Beatriz oyó entre sueños las vibraciones de la campana, lentas, sordas, tristísimas, y entreabrió los ojos. Creía haber oído, a par de ellas, pronunciar su nombre; pero lejos, muy lejos, y por una voz ahogada y doliente. El viento gemía en los vidrios de la ventana.

—Será el viento —dijo, y poniéndose la mano sobre el corazón procuró tranquilizarse.

Pero su corazón latía cada vez con más violencia, las puertas de alerce del oratorio habían crujido sobre sus goznes con un chirrido agudo, prolongado y estridente.

Primero unas y luego las otras más cercanas, todas las
puertas que daban paso a su habitación iban sonando por
su orden; éstas con un ruido sordo y grave, aquéllas con un
lamento largo y crispador. Después, silencio; un silencio
lleno de rumores extraños, el silencio de la medianoche;
con un murmullo monótono de agua distante, lejanos ladri-
dos de perros, voces confusas, palabras ininteligibles; eco
de pasos que van y vienen, crujir de ropas que se arrastran,
suspiros que se ahogan, respiraciones fatigosas que casi se
sienten, estremecimientos involuntarios que anuncian la pre-
sencia de algo que no se ve, y que no obstante se nota su
aproximación en la oscuridad.

Beatriz, inmóvil, temblorosa, adelantó la cabeza fuera
de las cortinas y escuchó un momento. Oía mil ruidos di-
versos; se pasaba la mano por la frente, tornaba a escuchar;
nada, silencio.

Veía, con esa fosforescencia de la pupila en las crisis ner-
viosas, como bultos que se movían en todas direcciones, y
cuando dilatándolas las fijaba en un punto, nada; oscuridad,
las sombras impenetrables.

—¡Bah! —exclamó, volviendo a recostar su hermosa ca-
beza sobre la almohada de raso azul del lecho—, ¿Soy yo
tan miedosa como estas pobres gentes cuyo corazón palpi-
ta de terror bajo una armadura al oír una conseja de apa-
recidos?

Y cerrando los ojos, intentó dormir...; pero en vano había
hecho un esfuerzo sobre sí misma. Pronto volvió a incor-
porarse, más pálida, más inquieta, más aterrada. Ya no era
una ilusión: las colgaduras de brocado de la puerta habían
rozado al separarse, y unas pisadas lentas sonaban sobre la
alfombra; el rumor de aquellas pisadas era sordo, casi im-
perceptible, pero continuado, y a su compás se oía crujir
una cosa como madera o hueso. Y se acercaban, se acer-
caban, y se movió el reclinatorio que estaba a la orilla de
su lecho. Beatriz lanzó un grito agudo, y rebujándose en la
ropa que la cubría escondió la cabeza y contuvo el aliento.

El aire azotaba los vidrios del balcón; el agua de la fuen-
te lejana caía y caía con un rumor eterno y monótono; los
ladridos de los perros se dilataban en las ráfagas del aire,
y las campanas de la ciudad de Soria, unas cerca, otras dis-
tantes, doblaban tristemente por las ánimas de los difuntos.

Así pasó una hora, dos, la noche, un siglo, porque la noche

aquella pareció eterna a Beatriz. Al fin, despuntó la aurora. Vuelta de su temor, entreabrió los ojos a los primeros rayos de la luz. Después de una noche de insomnio y de terrores, ¡es tan hermosa la luz clara y blanca del día! Separó las cortinas de seda del lecho, tendió una mirada serena a su alrededor, y ya se disponía a reírse de sus temores pasados, cuando de repente un sudor frío cubrió su cuerpo, sus ojos se desencajaron y una palidez mortal descoloró sus mejillas: sobre el reclinatorio había visto, sangrienta y desgarrada, la banda azul que perdiera en el monte, la banda azul que fue a buscar Alonso.

Cuando sus servidores llegaron, despavoridos, a noticiarle la muerte del primogénito de Alcudiel, que a la mañana había aparecido devorado por los lobos entre las malezas del Monte de las Ánimas, la encontraron inmóvil, crispada, asida con ambas manos a una de las columnas de ébano del lecho, desencajados los ojos, entreabierta la boca, blancos los labios, rígidos los miembros, muerta, muerta de horror.

<p style="text-align:center">IV</p>

Dicen que después de acaecido este suceso, un cazador extraviado que pasó la noche de difuntos sin poder salir del Monte de las Ánimas, y que al otro día, antes de morir, pudo contar lo que viera, refirió cosas horribles. Entre otras, se asegura que vio a los esqueletos de los antiguos templarios y de los nobles de Soria enterrados en el atrio de la capilla levantarse al punto de la oración con un estrépito horrible y, caballeros sobre osamentas de corceles, perseguir como a una fiera a una mujer hermosa, pálida y desmelenada que, con los pies desnudos y sangrientos, y arrojando gritos de horror, daba vueltas alrededor de la tumba de Alonso.

LOS OJOS VERDES [2]

(LEYENDA)

Hace mucho tiempo que tenía ganas de escribir cualquier cosa con este título. Hoy, que se me ha presentado ocasión, lo he puesto con letras grandes en la primera cuartilla de papel, y luego he dejado a capricho volar la pluma.

Yo creo que he visto unos ojos como los que he pintado en esta leyenda. No sé si en sueños, pero yo los he visto. De seguro no los podré describir tal cual ellos eran: luminosos, transparentes como las gotas de la lluvia que se resbalan sobre las hojas de los árboles después de una tempestad de verano. De todos modos, cuento con la imaginación de mis lectores para hacerme comprender en este que pudiéramos llamar boceto de un cuadro que pintaré algún día.

I

—Herido va el ciervo..., herido va; no hay duda. Se ve el rastro de la sangre entre las zarzas del monte, y al saltar uno de esos lentiscos han flaqueado sus piernas... Nuestro joven señor comienza por donde otros acaban... En cuarenta años de montero no he visto mejor golpe... Pero, ¡por San Saturio, patrón de Soria!, cortadle el paso por esas carrascas, azuzad los perros, soplad en esas trompas hasta echar los hígados, y hundidle a los corceles una cuarta de hierro en los ijares: ¿no veis que se dirige hacia la fuente de los Álamos y si la salva antes de morir podemos darle por perdido?

Las cuencas del Moncayo repitieron de eco en eco el bramido de las trompas, el latir de la jauría desencadenada, y las voces de los pajes resonaron con nueva furia, y el confuso tropel de hombres, caballos y perros se dirigió al punto que Íñigo, el montero mayor de los marqueses de

2. Publicada en *El Contemporáneo*, Madrid, 15 de diciembre de 1861.

Almenar, señalara como el más a propósito para cortarle el paso a la res.

Pero todo fue inútil. Cuando el más ágil de los lebreles llegó a las carrascas, jadeante y cubiertas las fauces de espuma, ya el ciervo, rápido como una saeta, las había salvado de un solo brinco, perdiéndose entre los matorrales de una trocha que conducía a la fuente.

—¡Alto!... ¡Alto todo el mundo! —gritó Íñigo entonces—. Estaba de Dios que había de marcharse.

Y la cabalgata se detuvo, y enmudecieron los trompas, y los lebreles dejaron refunfuñando la pista a la voz de los cazadores.

En aquel momento se reunía a la comitiva el héroe de la fiesta, Fernando de Argensola, el primogénito de Almenar.

—¿Qué haces? —exclamó, dirigiéndose a su montero, y en tanto, ya se pintaba el asombro en sus facciones, ya ardía la cólera en sus ojos—. ¿Qué haces, imbécil? Ves que la pieza está herida, que es la primera que cae por mi mano, y abandonas el rastro y la dejas perder para que vaya a morir en el fondo del bosque. ¿Crees acaso que he venido a matar ciervos para festines de lobos?

—Señor —murmuró Íñigo entre dientes—, es imposible pasar de este punto.

—¡Imposible! ¿Y por qué?

—Porque esa trocha —prosiguió el montero— conduce a la fuente de los Álamos: la fuente de los Álamos, en cuyas aguas habita un espíritu del mal. El que osa enturbiar su corriente paga caro su atrevimiento. Ya la res habrá salvado sus márgenes. ¿Cómo las salvaréis vos sin atraer sobre vuestra cabeza alguna calamidad horrible? Los cazadores somos reyes del Moncayo, pero reyes que pagan un tributo. Pieza que se refugia en esa fuente misteriosa, pieza perdida.

—¡Pieza perdida! Primero perderé yo el señorío de mis padres, y primero perderé el ánima en manos de Satanás que permitir que se me escape ese ciervo, el único que ha herido mi venablo, la primicia de mis excursiones de cazador... ¿Lo ves?... ¿Lo ves?... Aún se distingue a intervalos desde aquí: las piernas le faltan, su carrera se acorta; déjame..., déjame; suelta esa brida o te revuelco en el polvo... ¿Quién sabe si no le daré lugar para que llegue a la fuente? Y si llegase, al diablo ella, su limpidez y sus habitadores. ¡Sus, *Relámpago*!; ¡sus, caballo mío! Si lo alcanzas, mando

engarzar los diamantes de mi joyel en tu serreta de oro.

Caballo y jinete partieron como un huracán. Íñigo los siguió con la vista hasta que se perdieron en la maleza; después volvió los ojos en derredor suyo; todos, como él, permanecían inmóviles y consternados.

El montero exclamó al fin:

—Señores, vosotros lo habéis visto; me he expuesto a morir entre los pies de su caballo por detenerlo. Yo he cumplido con mi deber. Con el diablo no sirven valentías. Hasta aquí llega el montero con su ballesta; de aquí en adelante, que pruebe a pasar el capellán con su hisopo.

II

—Tenéis la color quebrada; andáis mustio y sombrío. ¿Qué os sucede? Desde el día, que yo siempre tendré por funesto, en que llegasteis a la fuente de los Álamos en pos de la res herida, diríase que una mala bruja os ha encanijado con sus hechizos. Ya no vais a los montes precedido de la ruidosa jauría ni el clamor de vuestras trompas despierta sus ecos. Solo con esas cavilaciones que os persiguen, todas las mañanas tomáis la ballesta para enderezaros a la espesura y permanecer en ella hasta que el sol se esconde. Y cuando la noche oscurece y volvéis pálido y fatigado al castillo, en balde busco en la bandolera los despojos de la caza. ¿Qué os ocupa tan largas horas lejos de los que más os quieren?

Mientras Íñigo hablaba, Fernando, absorto en sus ideas, sacaba maquinalmente astillas de su escaño de ébano con el cuchillo de monte.

Después de un largo silencio, que sólo interrumpía el chirrido de la hoja al resbalar sobre la pulimentada madera, el joven exclamó, dirigiéndose a su servidor, como si no hubiera escuchado una sola de sus palabras:

—Íñigo, tú que eres viejo, tú que conoces todas las guaridas del Moncayo, que has vivido en sus faldas persiguiendo a las fieras, y en tus errantes excursiones de cazador subiste más de una vez a su cumbre, dime: ¿has encontrado, por acaso, una mujer que vive entre sus rocas?

—¡Una mujer! —exclamó el montero con asombro y mirándole de hito en hito.

—Sí —dijo el joven—; es una cosa extraña lo que me su-

cede, muy extraña... Creí poder guardar este secreto eternamente, pero no es ya posible, rebosa en mi corazón y asoma a mi semblante. Voy, pues, a revelártelo... Tú me ayudarás a desvanecer el misterio que envuelve a esa criatura que, al parecer, sólo para mí existe, pues nadie la conoce, ni la ha visto, ni puede darme razón de ella.

El montero, sin despegar los labios, arrastró su banquillo hasta colocarse junto al escaño de su señor, del que no apartaba un punto los espantados ojos. Éste, después de coordinar sus ideas, prosiguió así:

—Desde el día en que, a pesar de tus funestas predicciones, llegué a la fuente de los Álamos y, atravesando sus aguas, recobré el ciervo que vuestra superstición hubiera dejado huir, se llenó mi alma del deseo de la soledad.

»¿Tú no conoces aquel sitio? Mira: la fuente brota escondida en el seno de una peña, y cae, resbalándose gota a gota, por entre las verdes y flotantes hojas de las plantas que crecen al borde de su cuna. Aquellas gotas, que al desprenderse brillan como puntos de oro y suenan como las notas de un instrumento, se reúnen entre los céspedes y, susurrando, susurrando, con un ruido semejante al de las abejas que zumban en torno de las flores, se alejan por entre las arenas y forman un cauce, y luchan con los obstáculos que se oponen a su camino, y se repliegan sobre sí mismas, y saltan, y huyen, y corren, unas veces con risas; otras, con suspiros hasta caer en un lago. En el lago caen con un rumor indescriptible. Lamentos, palabras, nombres, cantares, yo no sé lo que he oído en aquel rumor cuando me he sentado solo y febril sobre el peñasco a cuyos pies saltan las aguas de la fuente misteriosa, para estancarse en una balsa profunda, cuya inmóvil superficie apenas riza el viento de la tarde.

»Todo allí es grande. La soledad, con sus mil rumores desconocidos, vive en aquellos lugares y embriaga el espíritu en su inefable melancolía. En las plateadas hojas de los álamos, en los huecos de las peñas, en las ondas del agua, parece que nos hablan los invisibles espíritus de la naturaleza, que reconocen un hermano en el inmortal espíritu del hombre.

»Cuando al despuntar la mañana me veías tomar la ballesta y dirigirme al monte, no fue nunca para perderme entre sus matorrales en pos de la caza, no; iba a sentarme

al borde de la fuente, a buscar en sus ondas... no sé qué,
¡una locura! El día que salté sobre ella con mi *Relámpago*,
creí haber visto brillar en su fondo una cosa extraña..., muy
extraña...: los ojos de una mujer.

»Tal vez sería un rayo del sol que serpeó fugitivo en-
tre su espuma; tal vez una de esas flores que flotan entre
las algas de su seno y cuyos cálices parecen esmeraldas...;
no sé; yo creí ver una mirada que se clavó en la mía, una
mirada que encendió en mi pecho un deseo absurdo, irrea-
lizable: el de encontrar una persona con unos ojos como
aquéllos. En su busca fui un día y otro a aquel sitio.

»Por último, una tarde... yo me creí juguete de un sue-
ño...; pero no, es verdad; la he hablado ya muchas veces
como te hablo a ti ahora...; una tarde encontré sentada en
mi puesto, y vestida con unas ropas que llegaban hasta
las aguas y flotaban sobre su haz, una mujer hermosa sobre
toda ponderación. Sus cabellos eran como el oro; sus pes-
tañas brillaban como hilos de luz, y entre las pestañas
volteaban inquietas una pupilas que yo había visto..., sí,
porque los ojos de aquella mujer eran los ojos que yo tenía
clavados en la mente, unos ojos de un color imposible, unos
ojos...

—¡Verdes! —exclamó Íñigo con un acento de profundo
terror e incorporándose de un salto en su asiento.

Fernando le miró a su vez asombrado de que concluyese
lo que iba a decir, y le preguntó con una mezcla de ansiedad
y alegría:

—¿La conoces?

—¡Oh, no! —dijo el montero—. ¡Líbreme Dios de cono-
cerla! Pero mis padres, al prohibirme llegar hasta esos
lugares, me dijeron mil veces que el espíritu, trasgo, demo-
nio o mujer que habita en sus aguas tiene los ojos de ese
color. Yo os conjuro por lo que más améis en la tierra a
no volver a la fuente de los Álamos. Un día u otro os alcan-
zará su venganza y expiaréis, muriendo, el delito de haber
encenegado sus ondas.

—¡Por lo que más amo! —murmuró el joven con una triste
sonrisa.

—Sí —prosiguió el anciano—; por vuestros padres, por
vuestros deudos, por las lágrimas de la que el cielo destina
por vuestra esposa, por las de un servidor, que os ha visto
nacer.

—¿Sabes tú lo que más amo en este mundo? ¿Sabes tú por qué daría yo el amor de mi padre, los besos de la que me dio la vida y todo el cariño que pueden atesorar todas las mujeres de la tierra? Por una mirada, por una sola mirada de esos ojos... ¡Mira cómo podré yo dejar de buscarlos!

Dijo Fernando estas palabras con tal acento, que la lágrima que temblaba en los párpados de Íñigo se resbaló silenciosa por su mejilla, mientras exclamó con acento sombrío:

—¡Cúmplase la voluntad del cielo!

III

—¿Quién eres tú? ¿Cuál es tu patria? ¿En dónde habitas? Yo vengo un día y otro en tu busca, y ni veo el corcel que te trae a estos lugares ni a los servidores que conducen tu litera. Rompe de una vez el misterioso velo en que te envuelves como en una noche profunda. Yo te amo, y, noble o villana, seré tuyo, tuyo siempre...

El sol había traspuesto la cumbre del monte; las sombras bajaban a grandes pasos por su falda; la brisa gemía entre los álamos de la fuente, y la niebla, elevándose poco a poco de la superficie del lago, comenzaba a envolver las rocas de su margen.

Sobre una de estas rocas, sobre una que parecía próxima a desplomarse en el fondo de las aguas, en cuya superficie se retrataba, temblando, el primogénito de Almenar, de rodillas a los pies de su misteriosa amante, procuraba en vano arrancarle el secreto de su existencia.

Ella era hermosa, hermosa y pálida como una estatua de alabastro. Uno de sus rizos caía sobre sus hombros, deslizándose entre los pliegues del velo como un rayo de sol que atraviesa las nubes, y en el cerco de sus pestañas rubias brillaban sus pupilas como dos esmeraldas sujetas en una joya de oro.

Cuando el joven acabó de hablarle, sus labios se removieron como para pronunciar algunas palabras; pero sólo exhalaron un suspiro, un suspiro débil, doliente, como

el de la ligera onda que empuja una brisa al morir entre los juncos.

—¡No me respondes! —exclamó Fernando al ver burlada su esperanza—. ¿Querrás que dé crédito a lo que de ti me han dicho? ¡Oh, no!... Háblame; yo quiero saber si me amas; yo quiero saber si puedo amarte, si eres una mujer...

—O un demonio... ¿Y si lo fuese?

El joven vaciló un instante; un sudor frío corrió por sus miembros; sus pupilas se dilataron al fijarse con más intensidad en las de aquella mujer, y fascinado por su brillo fosfórico, demente casi, exclamó en un arrebato de amor:

—Si lo fueses..., te amaría..., te amaría como te amo ahora, como es mi destino amarte, hasta más allá de esta vida, si hay algo más allá de ella.

—Fernando —dijo la hermosa entonces con una voz semejante a una música—, yo te amo más aún que tú me amas; yo, que desciendo hasta un mortal siendo un espíritu puro. No soy una mujer como las que existen en la tierra; soy una mujer digna de ti, que eres superior a los demás hombres. Yo vivo en el fondo de estas aguas, incorpórea como ellas, fugaz y transparente: hablo con sus rumores y ondulo con sus pliegues. Yo no castigo al que osa turbar la fuente donde moro; antes le premio con mi amor, como a un mortal superior a las supersticiones del vulgo, como a un amante capaz de comprender mi cariño extraño y misterioso.

Mientras ella hablaba así, el joven, absorto en la contemplación de su fantástica hermosura, atraído como por una fuerza desconocida, se aproximaba más y más al borde de la roca. La mujer de los ojos verdes prosiguió así:

—¿Ves, ves el límpido fondo de ese lago? ¿Ves esas plantas de largas y verdes hojas que se agitan en su fondo?... Ellas nos darán un lecho de esmeraldas y corales..., y yo..., yo te daré una felicidad sin nombre, esa felicidad que has soñado en tus horas de delirio y que no puede ofrecerte nadie... Ven; la niebla del lago flota sobre nuestras frentes como un pabellón de lino...; las ondas nos llaman con sus voces incomprensibles; el viento empieza entre los álamos sus himnos de amor; ven..., ven...

La noche comenzaba a extender sus sombras; la luna

rielaba en la superficie del lago; la niebla se arremolinaba al soplo del aire, y los ojos verdes brillaban en la oscuridad como los fuegos fatuos que corren sobre el haz de las aguas infectas... «Ven, ven...» Estas palabras zumbaban en los oídos de Fernando como un conjuro. «Ven...» y la mujer misteriosa lo llamaba al borde del abismo donde estaba suspendida, y parecía ofrecerle un beso..., un beso...

Fernando dio un paso hacia ella..., y otro..., y sintió unos brazos delgados y flexibles que se liaban a su cuello, y una sensación fría en sus labios ardorosos, un beso de nieve..., y vaciló..., y perdió pie, y cayó al agua con un rumor sordo y lúgubre.

Las aguas saltaron en chispas de luz y se cerraron sobre su cuerpo, y sus círculos de plata fueron ensanchándose, ensanchándose, hasta expirar en las orillas.

MAESE PÉREZ EL ORGANISTA [3]

(LEYENDA SEVILLANA)

EN Sevilla, en el mismo atrio de Santa Inés, y mientras esperaba a que comenzase la misa del gallo, oí esta tradición a una demandadera del convento.

Como era natural, después de oírla aguardé impaciente a que comenzara la ceremonia, ansioso de asistir a un prodigio.

Nada menos prodigioso, sin embargo, que el órgano de Santa Inés, ni nada más vulgar que los insulsos motetes con que nos regaló su organista aquella noche.

Al salir de la misa no pude por menos de decirle a la demandadera con aire de burla.

—¿En qué consiste que el órgano de maese Pérez suena ahora tan mal?

—¡Toma —me contestó la vieja—, en que ése no es el suyo!

3. Publicada en *El Contemporáneo*, Madrid, 27 y 29 de diciembre de 1861.

—¿No es el suyo? ¿Pues qué ha sido de él?

—Se cayó a pedazos de puro viejo hace una porción de años.

—¿Y el alma del organista?

—No ha vuelto a aparecer desde que colocaron el que ahora le sustituye.

Si a alguno de mis lectores se le ocurriese hacerme la misma pregunta después de leer esta historia, ya sabe el porqué no se ha continuado el milagroso portento hasta nuestros días.

I

—¿Veis ese de la capa roja y la pluma blanca en el fieltro, que parece que trae sobre su justillo todo el oro de los galeones de Indias? ¿Aquel que baja en este momento de su litera para dar la mano a esa otra señora que, después de dejar la suya, se adelanta hacia aquí, precedida de cuatro pajes con hachas? Pues ése es el marqués de Moscosso, galán de la condesa viuda de Villapineda. Se dice que antes de poner sus ojos sobre esta dama había pedido en matrimonio a la hija de un opulento señor; mas el padre de la doncella, de quien se murmura que es un poco avaro... Pero, ¡calle!, en hablando del ruin de Roma, cátale aquí que asoma. ¿Veis aquel que viene por debajo del arco de San Felipe, a pie, embozado en una capa oscura y precedido de un solo criado con una linterna? Ahora llega frente al retablo.

»¿Reparasteis, al desembozarse para saludar a la imagen, en la encomienda que brilla en su pecho? A no ser por ese noble distintivo, cualquiera le creería un lonjista de la calle de Culebras... Pues ése es el padre en cuestión. Mirad cómo la gente del pueblo le abre paso y le saluda. Toda Sevilla le conoce por su colosal fortuna. Él solo tiene más ducados de oro en sus arcas que soldados mantiene nuestro señor el rey don Felipe, y con sus galeones podría formar una escuadra suficiente a resistir a la del Gran Turco...

»Mirad, mirad ese grupo de señores graves; ésos son los

caballeros veinticuatro.[4] ¡Hola, hola! También está aquí el flamencote, a quien se dice que no han echado ya el guante los señores de la cruz verde merced a su influjo con los magnates de Madrid... Éste no viene a la iglesia más que a oír música... No, pues si maese Pérez no le arranca con su órgano lágrimas como puños, bien se puede asegurar que no tiene su alma en su armario, sino friyéndose en las calderas de Pedro Botero... ¡Ay vecina! Malo..., malo... Presumo que vamos a tener jarana. Yo me refugio en la iglesia. Pues, por lo que veo, aquí van a andar más de sobra los cintarazos que los *paternoster*. Mirad, mirad: las gentes del duque de Alcalá doblan la esquina de la plaza de San Pedro, y por el callejón de la Dueñas se me figura que he columbrado a las del de Medina Sidonia. ¿No os lo dije?

»Ya se han visto, ya se detienen unos y otros, sin pasar de sus puestos... Los grupos se disuelven... Los ministriles, a quienes en estas ocasiones apalean amigos y enemigos, se retiran... Hasta el señor asistente, con su vara y todo, se refugia en el atrio... Y luego dicen que hay justicia. Para los pobres...

»Vamos, vamos, ya brillan los broqueles en la oscuridad... ¡Nuestro Señor del Gran Poder nos asista! Ya comienzan los golpes... ¡Vecina, vecina! Aquí..., antes que cierren las puertas. Pero ¡calle! ¿Qué es eso? Aún no han comenzado, cuando lo dejan... ¿Qué resplandor es aquél?... ¡Hachas encendidas! ¡Literas! Es el señor arzobispo.

»La Virgen Santísima del Amparo, a quien invocaba ahora mismo con el pensamiento, lo trae en mi ayuda... ¡Ay! ¡Si nadie sabe lo que yo le debo a esta Señora!... ¡Con cuánta usura me paga las candelillas que le enciendo los sábados!... Vedlo qué hermosote está con sus hábitos morados y su birrete rojo... Dios le conserve en su silla tantos siglos como yo deseo de vida para mí. Si no fuera por él media Sevilla hubiera ya ardido con estas dissensiones de los duques. Vedlos, vedlos, los hipocritones, cómo se acercan am-

4. Los «veinticuatro», o Regidores del Ayuntamiento de Sevilla. Como observa Rubén Benítez (ed. cit.), *veinticuatros* y *flamencos* —originarios de Flandes y, por tanto, sospechosos de herejía en tiempo del «rey don Felipe» o Felipe II— figuran entre los antepasados de Bécquer. Los «señores de la cruz verde» es alusión, entre eufemística y burlona, al Tribunal de la Inquisición.

bos a la litera del prelado para besarle el anillo... Cómo le
siguen y le acompañan confundiéndose con sus familiares.
Quién diría que esos dos que parecen tan amigos, si dentro
de media hora se encuentran en una calle oscura... ¡Es
decir, ellos, ellos!... Líbreme Dios de creerlos cobardes.
Buena muestra han dado de sí peleando en algunas ocasiones
contra los enemigos de Nuestro Señor... Pero es la verdad
que si se buscaran... Y se buscaran con ganas de encontrarse,
se encontrarían, poniendo fin de una vez a estas continuas
reyertas, en las cuales los que verdaderamente se baten el
cobre de firme son sus deudos, sus allegados y su servi-
dumbre.

»Pero vamos, vecina, vamos a la iglesia, antes que se pon-
ga de bote en bote..., que algunas noches como ésta suele lle-
narse de modo que no cabe ni un grano de trigo... Buena
ganga tienen las monjas con su organista... ¿Cuándo se ha
visto el convento tan favorecido como ahora?... De las otras
comunidades puedo decir que le han hecho a maese Pérez
proposiciones magníficas. Verdad que nada tiene de extraño,
pues hasta el señor arzobispo le ha ofrecido montes de oro
por llevarle a la catedral... Pero él, nada... Primero dejaría la
vida que abandonar su órgano favorito... ¿No conocéis a
maese Pérez? Verdad es que sois nueva en el barrio... Pues
es un santo varón, pobre sí, pero limosnero cual no otro...
Sin más parientes que su hija ni más amigo que su órgano,
pasa su vida entera en velar por la inocencia de la una y
componer los registros del otro... ¡Cuidado que el órgano
es viejo!... Pues nada; él se da tal maña en arreglarlo y cui-
darle, que suena que es una maravilla... Como que le conoce
de tal modo, que a tientas... Porque no sé si os lo he dicho,
pero el pobre señor es ciego de nacimiento... ¡Y con qué
paciencia lleva su desgracia!... Cuando le preguntan que
cuánto daría por ver, responde: «Mucho, pero no tanto como
creéis, porque tengo esperanzas.» «¿Esperanzas de ver?»
«Sí, y muy pronto —añade, sonriendo como un ángel—. Ya
cuento setenta y seis años. Por muy larga que sea mi vida,
pronto veré a Dios.»

»¡Pobrecito! Y sí lo verá..., porque es humilde como las
piedras de la calle, que se dejan pisar de todo el mundo.
Siempre dice que no es más que un pobre organista de con-
vento, y puede dar lecciones de solfa al mismo maestro de
capilla de la Primada. Como que echó los dientes en el ofi-

cio... Su padre tenía la misma profesión que él. Yo no le conocí, pero mi señora madre, que santa gloria haya, dice que le llevaba siempre al órgano consigo para darle a los fuelles. Luego, el muchacho mostró tales disposiciones, que, como es natural, a la muerte de su padre heredó el cargo... ¡Y qué manos tiene! ¡Dios se las bendiga! Merecía que se las llevaran a la calle de Chicharreros y se las engarzasen en oro... Siempre toca bien, siempre; pero en semejante noche como ésta es un prodigio... Él tiene una gran devoción por esta ceremonia de la misa del Gallo, y cuando levantan la Sagrada Forma, al punto y hora de las doce, que es cuando vino al mundo Nuestro Señor Jesucristo..., las voces de su órgano son voces de ángeles...

»En fin, ¿para qué tengo de ponderarle lo que esta noche oirá? Baste el ver cómo todo lo más florido de Sevilla, hasta el mismo señor arzobispo, vienen a un humilde convento para escucharle. Y no se crea que sólo la gente sabida, y a la que se le alcanza esto de la solfa, conocen su mérito, sino que hasta el populacho. Todas esas bandadas que veis llegar con teas encendidas, entonando villancicos con gritos desaforados al compás de los panderos, las sonajas y las zambombas, contra su costumbre, que es la de alborotar las iglesias, callan como muertos cuando pone maese Pérez las manos en el órgano...; y cuando alzan..., cuando alzan no se siente una mosca...: de todos los ojos caen lagrimones tamaños, y al concluir se oye como un suspiro inmenso, que no es otra cosa que la respiración de los circunstantes, contenida mientras dura la música... Pero vamos, vamos; ya han dejado de tocar las campanas, y va a comenzar la misa. Vamos adentro... Para todo el mundo es esta noche Nochebuena, pero para nadie mejor que para nosotros.

Esto diciendo, la buena mujer que había servido de *cicerone* a su vecina atravesó el atrio del convento de Santa Inés y, codazo en éste, empujón en aquél, se internó en el templo perdiéndose entre la muchedumbre que se agolpaba en la puerta.

II

La iglesia estaba iluminada con una profusión asombrosa. El torrente de luz que se desprendía de los altares para lle-

nar sus ámbitos chispeaba en los ricos joyeles de las damas que, arrodillándose sobre los cojines de terciopelo que tendían los pajes y tomando el libro de oraciones de manos de sus dueñas, vinieron a formar un brillante círculo alrededor de la verja del presbiterio.

Junto a aquella verja, de pie, envueltos en sus capas de color galoneadas de oro, dejando entrever con estudiado descuido las encomiendas rojas y verdes, en la una mano el fieltro, cuyas plumas besaban los tapices; la otra sobre los bruñidos gavilanes del estoque o acariciando el pomo del cincelado puñal, los caballeros veinticuatro, con gran parte de lo mejor de la nobleza sevillana, parecían formar un muro destinado a defender a sus hijas y [a] sus esposas del contacto con la plebe. Ésta, que se agitaba en el fondo de las naves con un rumor parecido al del mar cuando se alborota, prorrumpió en una aclamación de júbilo, acompañada del discordante sonido de las sonajas y los panderos, al mirar aparecer al arzobispo, el cual, después de sentarse junto al altar mayor, bajo un solio de grana que rodearon sus familiares, echó por tres veces la bendición al pueblo.

Era hora de que comenzase la misa. Transcurrieron, sin embargo, algunos minutos sin que el celebrante apareciese. La multitud comenzaba a rebullirse demostrando su impaciencia; los caballeros cambiaban entre sí algunas palabras a media voz, el arzobispo mandó a la sacristía a uno de sus familiares a inquirir el porqué no comenzaba la ceremonia.

—Maese Pérez se ha puesto malo, muy malo, y será imposible que asista esta noche a la misa de medianoche.

Ésa fue la respuesta del familiar.

La noticia cundió instantáneamente entre la muchedumbre. Pintar el efecto desagradable que causó en todo el mundo sería cosa imposible. Baste decir que comenzó a notarse tal bullicio en el templo, que el asistente se puso de pie y los alguaciles entraron a imponer silencio, confundiéndose entre las apiñadas olas de la multitud.

En aquel momento, un hombre mal trazado, seco, huesudo y bisojo por añadidura, se adelantó hasta el sitio que ocupaba el prelado.

—Maese Pérez está enfermo —dijo—. La ceremonia no puede empezar. Si queréis, yo tocaré el órgano en su ausen-

cia, que ni maese Pérez es el primer organista del mundo, ni a su muerte dejará de usarse este instrumento por falta de inteligentes.

El arzobispo hizo una señal de asentimiento con la cabeza, y ya algunos de los fieles, que conocían a aquel personaje extraño por un organista envidioso, enemigo del de Santa Inés, comenzaban a prorrumpir en exclamaciones de disgusto, cuando de improviso se oyó en el atrio un ruido espantoso.

—¡Maese Pérez está aquí!... ¡Maese Pérez está aquí!...

A estas voces de los que estaban apiñados en la puerta, todo el mundo volvió la cara.

Maese Pérez, pálido y desencajado, entraba, en efecto, en la iglesia, conducido en un sillón, que todos se disputaban el honor de llevar en sus hombros.

Los preceptos de los doctores, las lágrimas de su hija, nada había sido bastante a detenerle en el lecho.

—No —había dicho—. Ésta es la última, lo conozco. Lo conozco, y no quiero morir sin visitar mi órgano, y esta noche sobre todo, la Nochebuena. Vamos, lo quiero, lo mando. Vamos a la iglesia.

Sus deseos se habían cumplido. Los concurrentes lo subieron en brazos a la tribuna y comenzó la misa. En aquel punto sonaban las doce en el reloj de la catedral.

Pasó el introito, y el evangelio, y el ofertorio, y llegó el instante solemne en que el sacerdote, después de haberla consagrado, toma con la extremidad de sus dedos la Sagrada Forma y comienza a elevarla.

Una nube de incienso que se desenvolvía en ondas azuladas llenó el ámbito de la iglesia. Las campanillas repicaron con un sonido vibrante y maese Pérez puso sus crispadas manos sobre las teclas del órgano.

Las cien voces de sus tubos de metal resonaron en un acorde majestuoso y prolongado, que se perdió poco a poco, como si una ráfaga de aire hubiese arrebatado sus últimos ecos.

A este primer acorde, que parecía una voz que se elevaba desde la tierra al cielo, respondió otro lejano y suave, que fue creciendo, creciendo, hasta convertirse en un torrente de atronadora armonía. Era la voz de los ángeles que, atravesando los espacios, llegaba al mundo.

Después comenzaron a oírse como unos himnos distantes

que entonaban las jerarquías de serafines. Mil himnos a la vez, que al confundirse formaban uno solo que, no obstante, sólo era el acompañamiento de una extraña melodía, que parecía flotar sobre aquel océano de acordes misteriosos, como un jirón de niebla sobre las olas del mar.

Luego fueron perdiéndose unos cuantos; después, otros. La combinación se simplificaba. Ya no eran más que dos voces, cuyos ecos se confundían entre sí; luego quedó una aislada, sosteniendo una nota brillante como un hilo de luz. El sacerdote inclinó la frente, y por encima de su cabeza cana, y como a través de una gasa azul que fingía el humo del incienso, apareció la hostia a los ojos de los fieles. En aquel instante, la nota que macse Pérez sostenía tremando se abrió, se abrió, y una explosión de armonía gigante estremeció la iglesia, en cuyos ángulos zumbaba el aire comprimido y cuyos vidrios de colores se estremecían en sus angostos ajimeces.

De cada una de las notas que formaban aquel magnífico acorde se desarrolló un tema, y unos cerca, otros lejos, éstos brillantes, aquéllos sordos, diríase que las aguas y los pájaros, las brisas y las frondas, los hombres y los ángeles, la tierra y los cielos, cantaban, cada cual en su idioma, un himno al nacimiento del Salvador.

La multitud escuchaba atónita y suspendida. En todos los ojos había una lágrima; en todos los espíritus, un profundo recogimiento.

El sacerdote que oficiaba sentía temblar sus manos, porque Aquel que levantaba en ellas, Aquel a quien saludaban hombres y arcángeles, era su Dios, era su Dios, y le parecía haber visto abrirse los cielos y transfigurarse la hostia.

El órgano proseguía sonando; pero sus voces se apagaban gradualmente, como una voz que se pierde de eco en eco y se aleja y se debilita al alejarse, cuando sonó un grito en la tribuna, un grito desgarrador, agudo, un grito de mujer.

El órgano exhaló un sonido discorde y extraño, semejante a un sollozo, y quedó mudo.

La multitud se agolpó a la escalera de la tribuna, hacia la que, arrancados de su éxtasis religioso, volvieron la mirada con ansiedad todos los fieles.

—¿Qué ha sucedido? ¿Qué pasa? —se decían unos a otros, y nadie sabía responder, y todos se empeñaban en adivinarlo, y crecía la confusión, y el alboroto comenzaba a subir

de punto, amenazando turbar el orden y el recogimiento propios de la iglesia.

—¿Qué ha sido eso? —preguntaron las damas al asistente que, precedido de los ministriles, fue uno de los primeros a subir a la tribuna y que, pálido y con muestras de profundo pesar, se dirigía al puesto en donde le esperaba el arzobispo, ansioso, como todos, por saber la causa del aquel desorden.

—¿Qué hay?

—Que maese Pérez acaba de morir.

En efecto, cuando los primeros fieles, después de atropellarse por la escalera, llegaron a la tribuna, vieron al pobre organista caído de boca sobre las teclas de su viejo instrumento, que aún vibraba sordamente, mientras su hija, arrodillada a sus pies, lo llamaba en vano entre suspiros y sollozos.

III

—Buenas noches, mi señora doña Baltasara. ¿También usarced viene esta noche a la misa del Gallo? Por mi parte, tenía hecha intención de irla a oír a la parroquia; pero, lo que sucede... ¿Dónde va Vicente? Donde va la gente. Y eso que, si he de decir la verdad, desde que murió maese Pérez parece que me echan una losa sobre el corazón cuando entro en Santa Inés... ¡Pobrecito! ¡Era un santo!... Yo de mí sé decir que conservo un pedazo de su jubón como una reliquia, y lo merece... Pues en Dios y en mi ánima que si el señor arzobispo tomara mano en ello, es seguro que nuestros nietos le verían en altares... Mas ¿cómo ha de ser?... A muertos y a idos no hay amigos... Ahora lo que priva es la novedad..., ya me entiende usarced. ¡Qué! ¿No sabe nada de lo que pasa? Verdad que nosotras nos parecemos en eso: de nuestra casita a la iglesia y de la iglesia a nuestra casita, sin cuidarnos de lo que se dice o se deja de decir... Sólo que yo, así..., al vuelo..., una palabra de acá, otra de acullá... sin ganas de enterarme siquiera, suelo estar al corriente de algunas novedades.

»Pues sí, señor. Parece cosa hecha que el organista de San Román, aquel bisojo que siempre está echando pestes de los otros organistas, aquel perdulariote, que más parece jifero de la Puerta de la Carne que maestro de solfa, va a

tocar esta Nochebuena en lugar de maese Pérez. Ya sabrá usarced, porque esto lo ha sabido todo el mundo y es cosa pública en Sevilla, que nadie quería comprometerse a hacerlo. Ni aun su hija, que es profesora, y después de la muerte de su padre entró en el convento de novicia.

»Y era natural: acostumbrados a oír aquellas maravillas, cualquiera otra cosa había de parecernos mala, por más que quisieran evitarse las comparaciones. Pues cuando ya la comunidad había decidido que en honor del difunto, y como muestra de respeto a su memoria, permanecería callado el órgano en esta noche, hete aquí que se presenta nuestro hombre diciendo que él se atreve a tocarle... No hay nada más atrevido que la ignorancia... Cierto que la culpa no es suya, sino de los que le consienten esta profanación. Pero así va el mundo... digo... No es cosa la gente que acude... Cualquiera diría que nada ha cambiado de un año a otro. Los mismos personajes, el mismo lujo, los mismos empollones en la puerta, la misma animación en el atrio, la misma multitud en el templo... ¡Ay, si levantara el muerto la cabeza! Se volvía a morir por no oír su órgano tocado por manos semejantes.

»Lo que tiene que, si es verdad lo que me han dicho, las gentes del barrio le preparan una buena al intruso. Cuando llegue el momento de poner la mano sobre las teclas, va a comenzar una algarabía de sonajas, panderos y zambombas que no haya más que oír... Pero, ¡calle!, ya entra en la iglesia el héroe de la función. ¡Jesús, qué ropilla de colorines, qué gorguera de cañutos, qué aires de personaje! Vamos, vamos, que ya hace rato que llegó el arzobispo y va a comenzar la misa... Vamos, que me parece que esta noche va a darnos que contar para muchos días.

Esto diciendo, la buena mujer, que ya conocen nuestros lectores por sus exabruptos de locuacidad, penetró en Santa Inés, abriéndose, según costumbre, un camino entre la multitud a fuerza de empellones y codazos.

Ya se había dado principio a la ceremonia. El templo estaba tan brillante como el año anterior.

El nuevo organista, después de atravesar por en medio de los fieles que ocupaban las naves para ir a besar el anillo del prelado, había subido a la tribuna, donde tocaba, unos tras otros, los registros del órgano con una gravedad tan afectada como ridícula.

Entre la gente menuda que se apiñaba a los pies de la iglesia se oía un rumor sordo y confuso, cierto presagio de que la tempestad comenzaba a fraguarse y no tardaría mucho en dejarse sentir.

—Es un truhán que, por no hacer nada bien, ni aun mira a derechas —decían los unos.

—Es un ignorantón que, después de haber puesto el órgano de su parroquia peor que una carraca, viene a profanar el de maese Pérez —decían los otros.

Y mientras éste se desembarazaba del capote para prepararse a darle de firme a su pandero, y aquél apercibía sus sonajas, y todos se disponían a hacer bulla a más y mejor, sólo alguno que otro se aventuraba a defender tibiamente al extraño personaje, cuyo porte orgulloso y pedantesco hacía tan notable contraposición con la modesta apariencia y la afable bondad del difunto maese Pérez.

Al fin llegó el esperado momento, el momento solemne en que el sacerdote, después de inclinarse y murmurar algunas palabras santas, tomó la hostia en sus manos... Las campanillas repicaron, semejando su repique una lluvia de notas de cristal. Se elevaron las diáfanas ondas del incienso y sonó el órgano.

Una estruendosa algarabía llenó los ámbitos de la iglesia en aquel instante y ahogó su primer acorde.

Zampoñas, gaitas, sonajas, panderos, todos los instrumentos del populacho alzaron sus discordantes voces a la vez; pero la confusión y el estrépito sólo duró algunos segundos. Todos a la vez, como habían comenzado, enmudecieron de pronto.

El segundo acorde, amplio, valiente, magnífico, se sostenía aún, brotando de los tubos de metal del órgano como una cascada de armonía inagotable y sonora.

Cantos celestes como los que acarician los oídos en los momentos de éxtasis, cantos que percibe el espíritu y no los puede repetir el labio, notas sueltas de una melodía lejana que suenan a intervalos, traídas en las ráfagas del viento; rumor de hojas que se besan en los árboles con un murmullo semejante al de la lluvia, trinos de alondras que se levantan gorjeando de entre las flores como una saeta despedida a las nubes; estruendos sin nombre, imponentes como los rugidos de una tempestad; coros de serafines sin ritmo ni cadencia, ignota música del cielo que sólo la ima-

ginación comprende, himnos alados que parecían remontarse al trono del Señor como una tromba de luz y de sonidos..., todo lo expresaban las cien voces del órgano con más pujanza, con más misteriosa poesía, con más fantástico color que lo habían expresado nunca.

...

Cuando el organista bajó de la tribuna, la muchedumbre que se agolpó a la escalera fue tanta y tanto su afán por verle y admirarle, que el asistente, temiendo, no sin razón, que le ahogaran entre todos, mandó a algunos de sus ministriles para que, vara en mano, le fueran abriendo camino hasta llegar al altar mayor, donde el prelado le esperaba.

—Ya veis —le dijo este último cuando le trajeron a su presencia—. Vengo desde mi palacio aquí sólo por escucharos. ¿Seréis tan cruel como maese Pérez que nunca quiso excusarme el viaje tocando la Nochebuena en la misa de la catedral?

—El año que viene —respondió el organista— prometo daros gusto, pues por todo el oro de la tierra no volvería a tocar este órgano.

—¿Y por qué? —interrumpió el prelado.

—Porque... —añadió el organista, procurando dominar la emoción que se revelaba en la palidez de su rostro—, porque es viejo y malo, y no puede expresar todo lo que se quiere.

El arzobispo se retiró, seguido de sus familiares. Unas tras otras, las literas de los señores fueron desfilando y perdiéndose en las revueltas de las calles vecinas; los grupos del atrio se disolvieron, dispersándose los fieles en distintas direcciones, y ya la demandadera se disponía a cerrar las puertas de la entrada del atrio, cuando se divisaban aún dos mujeres que después de persignarse y murmurar una oración ante el retablo del arco de San Felipe, prosiguieron su camino, internándose en el callejón de las Dueñas.

—Qué quiere usarced, mi señora doña Baltasara —decía la una—. Yo soy de este genial. Cada loco con su tema... Me lo habían de asegurar capuchinos descalzos y no lo creería del todo... Ese hombre no puede haber tocado lo que acabamos de escuchar... Si yo lo he oído mil veces en San Bartolomé, que era su parroquia, y de donde tuvo que

echarle el señor cura por malo, y era cosa de taparse los oídos con algodones... Y luego, si no hay más que mirarle al rostro, que, según dicen, es el espejo del alma... Yo me acuerdo, pobrecito, como si la estuviera viendo, me acuerdo de la cara de maese Pérez cuando, en semejante noche como ésta, bajada de la tribuna, después de haber suspendido al auditorio con sus primores... ¡Qué sonrisa tan bondadosa, qué color tan animado!... Era viejo y parecía un ángel... No que éste ha bajado las escaleras a trompicones, como si le ladrase un perro en la meseta, y con un olor de difunto y unas... Vamos, mi señora doña Baltasara, créame usarced, y créame con todas veras: yo sospecho que aquí hay busilis...

Comentando las ultimas palabras, las dos mujeres doblaban la esquina del callejón y desaparecían.

Creemos inútil decir a nuestros lectores quién era una de ellas.

IV

Había transcurrido un año más. La abadesa del convento de Santa Inés y la hija de maese Pérez hablaban en voz baja, medio ocultas entre las sombras del coro de la iglesia. El esquilón llamaba a voz herida a los fieles desde la torre, y alguna que otra rara persona atravesaba el atrio, silencioso y desierto esta vez, y después de tomar el agua bendita en la puerta, escogía un puesto en un rincón de las naves, donde unos cuantos vecinos del barrio esperaban tranquilamente a que comenzara la misa del Gallo.

—Ya lo veis —decía la superiora—: vuestro temor es sobre manera pueril; nadie hay en el templo; toda Sevilla acude en tropel a la catedral esta noche. Tocad vos el órgano, y tocadle sin desconfianza de ninguna clase; estaremos en comunidad... Pero... proseguís callando, sin que cesen vuestros suspiros. ¿Qué os pasa? ¿Qué tenéis?

—Tengo... miedo —exclamó la joven con un acento profundamente conmovido.

—¡Miedo! ¿De qué?

—No sé..., de una cosa sobrenatural... Anoche, mirad, yo os había oído decir que teníais empeño en que tocase el órgano en la misa y, ufana con esta distinción, pensé arreglar

sus registros y templarle, a fin de que hoy os sorprendiese...
Vine al coro... sola..., abrí la puerta que conduce a la tri-
buna... En el reloj de la catedral sonaba en aquel momento
una hora..., no sé cuál..., pero las campanadas eran tristí-
simas y muchas..., muchas..., estuvieron sonando todo el
tiempo que yo permanecí como clavada en el dintel, y
aquel tiempo me pareció un siglo.

»La iglesia estaba desierta y oscura... Allá lejos, en el fon-
do, brillaba, como una estrella perdida en el cielo de la
noche, una luz moribunda...: la luz de la lámpara que arde
en el altar mayor... A sus reflejos debilísimos, que sólo con-
tribuían a hacer más visible todo el profundo horror de las
sombras, vi..., lo vi, madre, no lo dudéis; vi un hombre que,
en silencio, y vuelto de espaldas hacia el sitio en que yo
estaba, recorría con una mano las teclas del órgano, mien-
tras tocaba con la otra a sus registros..., y el órgano sona-
ba, pero sonaba de una manera indescriptible. Cada una de
sus notas parecía un sollozo ahogado dentro del tubo de
metal, que vibraba con el aire comprimido en su hueco y
reproducía el tono sordo, casi imperceptible, pero justo.

»Y el reloj de la catedral continuaba dando la hora, y el
hombre aquel proseguía recorriendo las teclas. Yo oía hasta
su respiración.

»El horror había helado la sangre de mis venas; sentía
en mi cuerpo como un frío glacial, y en mis sienes fuego...
Entonces quise gritar, quise gritar, pero no pude. El hom-
bre aquel había vuelto la cara y me había mirado...; digo
mal, no me había mirado, porque era ciego... ¡Era mi
padre!

—¡Bah! Hermana, desechad esas fantasías con que el ene-
migo malo procura turbar las imaginaciones débiles... Re-
zad un *paternoster* y un *avemaría* al arcángel San Miguel,
jefe de las milicias celestiales, para que os asista contra los
malos espíritus. Llevad al cuello un escapulario tocado en
la reliquia de San Pacomio, abogado contra las tentaciones,
y marchad, marchad a ocupar la tribuna del órgano; la
misa va a comenzar, y ya esperan con impaciencia los fie-
les... Vuestro padre está en el cielo, y desde allí, antes que
a daros sustos, bajará a inspirar a su hija en esta ceremonia
solemne, para el objeto de tan especial devoción.

La priora fue a ocupar su sillón en el coro en medio de la
comunidad. La hija de maese Pérez abrió con mano tembló-

rosa la puerta de la tribuna para sentarse en el banquillo del órgano, y comenzó la misa.

Comenzó la misa y prosiguió sin que ocurriese nada notable hasta que llegó la consagración. En aquel momento sonó el órgano, y al mismo tiempo que el órgano, un grito de la hija de maese Pérez. La superiora, las monjas y algunos de los fieles corrieron a la tribuna.

—¡Miradle! ¡Miradle! —decía la joven, fijando sus desencajados ojos en el banquillo, de donde se había levantado, asombrada, para agarrarse con sus manos convulsas al barandal de la tribuna.

Todo el mundo fijó sus miradas en aquel punto. El órgano estaba solo, y, no obstante, el órgano seguía sonando...; sonando como sólo los arcángeles podrían imitarle en sus raptos de místico alborozo.

—¿No os lo dije yo una y mil veces, mi señora doña Baltasara; no os lo dije yo? ¡Aquí hay busilis! Vedlo. ¡Qué!, ¿no estuvisteis anoche en la misa del Gallo? Pero, en fin, ya sabréis lo que pasó. En toda Sevilla no se habla de otra cosa... El señor arzobispo está hecho, y con razón, una furia... Haber dejado de asistir a Santa Inés, no haber podido presenciar el portento..., ¿y para qué?... ¿Para oír una cencerrada, porque personas que lo oyeron dicen que lo que hizo el dichoso organista de San Bartolomé en la catedral no fue otra cosa... Si lo decía yo. Eso no puede haberlo tocado el bisojo, mentira...; aquí hay busilis, y el busilis era, en efecto, el alma de maese Pérez.

EL RAYO DE LUNA [5]

(LEYENDA SORIANA)

Yo no sé si esto es una historia que parece cuento o un cuento que parece historia; lo que puedo decir es que en su fondo hay una verdad, una verdad muy triste, de la

5. Publicada en *El Contemporáneo*, Madrid, 12 y 13 de febrero de 1862.

que acaso yo seré uno de los últimos en aprovecharme, dadas mis condiciones de imaginación.

Otro, con esta idea, tal vez hubiera hecho un tomo de filosofía lacrimosa; yo he escrito esta leyenda, que, a los que nada vean en su fondo, al menos podrá entretenerles un rato.

I

Era noble; había nacido entre el estruendo de las armas, y el insólito clamor de una trompa de guerra no le hubiera hecho levantar la cabeza un instante, ni apartar sus ojos un punto del oscuro pergamino en que leía la última cántiga de un trovador.

Los que quisieran encontrarle no lo debían buscar en el anchuroso patio de su castillo, donde los palafreneros domaban los potros, los pajes enseñaban a volar a los halcones y los soldados se entretenían los días de reposo en afilar el hierro de su lanza contra una piedra.

—¿Dónde está Manrique? ¿Dónde está vuestro señor? —preguntaba algunas veces su madre.

—No sabemos —respondían sus servidores—; acaso estará en el claustro del monasterio de la Peña, sentado al borde de una tumba, prestando oído a ver si sorprende alguna palabra de la conversación de los muertos; o en el puente, mirando correr una tras otra las olas del río por debajo de sus arcos; o acurrucado en la quiebra de una roca y entretenido en contar las estrellas del cielo, en seguir una nube con la vista o contemplar los fuegos fatuos que cruzan como exhalaciones sobre el haz de las lagunas. En cualquier parte estará, menos en donde esté todo el mundo.

En efecto, Manrique amaba la soledad, y la amaba de tal modo, que algunas veces hubiera deseado no tener sombra, porque su sombra no le siguiese a todas partes.

Amaba la soledad porque en su seno, dando rienda suelta a la imaginación, forjaba un mundo fantástico, habitado por extrañas creaciones, hijas de sus delirios y sus ensueños de poeta, porque Manrique era poeta; tanto, que nunca le ha-

bían satisfecho las formas en que pudiera encerrar sus pensamientos y nunca los había encerrado al escribirlos.

Creía que entre las rojas ascuas del hogar habitaban espíritus de fuego de mil colores, que corrían como insectos de oro a lo largo de los troncos encendidos, o danzaban en una luminosa ronda de chispas en la cúspide de las llamas, y se pasaba las horas muertas sentado en un escabel, junto a la alta chimenea gótica, inmóvil y con los ojos fijos en la lumbre.

Creía que en el fondo de las ondas del río, entre los musgos de la fuente y sobre los vapores del lago vivían unas mujeres misteriosas, hadas, sílfides u ondinas, que exhalaban lamentos y suspiros o cantaban y se reían en el monótono rumor del agua, rumor que oía en silencio, intentando traducirlo.

En las nubes, en el aire, en el fondo de los bosques, en las grietas de las peñas imaginaba percibir formas o escuchar sonidos misteriosos, formas de seres sobrenaturales, palabras ininteligibles que no podía comprender.

¡Amar! Había nacido para soñar el amor, no para sentirlo. Amaba a todas las mujeres un instante: a ésta porque era rubia, a aquélla porque tenía los labios rojos, a la otra porque se cimbreaba, al andar, como un junco.

Algunas veces llegaba su delirio hasta el punto de quedarse una noche entera mirando a la luna, que flotaba en el cielo entre un vapor de plata, o [a] las estrellas, que temblaban a lo lejos como los cambiantes de las piedras preciosas. En aquellas largas noches de poético insomnio exclamaba:

—Si es verdad, como el prior de la Peña me ha dicho, que es posible que esos puntos de luz sean mundos; si es verdad que en ese globo de nácar que rueda sobre las nubes habitan gentes, ¡qué mujeres tan hermosas serán las mujeres de esas regiones luminosas! Y yo no podré verlas, y yo no podré amarlas... ¿Cómo será su hermosura?... ¿Cómo será su amor?...

Manrique no estaba aún lo bastante loco para que le siguiesen los muchachos, pero sí lo suficiente para hablar y gesticular a solas, que es por donde se empieza.

II

Sobre el Duero, que pasaba lamiendo las carcomidas y oscuras piedras de las murallas de Soria, hay un puente que conduce de la ciudad al antiguo convento de los Templarios, cuyas posesiones se extendían a lo largo de la opuesta margen del río.

En la época a que nos referimos, los caballeros de la orden habían ya abandonado sus históricas fortalezas; pero aún quedaban en pie los restos de los anchos torreones de sus muros; aún se veían, como en parte se ven hoy, cubiertos de hiedras y campanillas blancas, los macizos arcos de su claustro, las prolongadas galerías ojivales de sus patios de armas, en las que suspiraba el viento con un gemido, agitando las altas yerbas.

En los huertos y en los jardines, cuyos senderos no hollaban hacía muchos años las plantas de los religiosos, la vegetación, abandonada de sí misma, desplegaba todas sus galas, sin temor de que la mano del hombre la mutilase, creyendo embellecerla.

Las plantas trepadoras subían encaramándose por los añosos troncos de los árboles; las sombrías calles de álamos, cuyas copas se tocaban y se confundían entre sí, se habían cubierto de céspedes; los cardos silvestres y las ortigas brotaban en medio de los enarenados caminos, y en los trozos de fábrica próximos a desplomarse, el jaramago, flotando al viento como el penacho de una cimera, y las campanillas blancas y azules, balanceándose como en un columpio sobre sus largos y flexibles tallos, pregonaban la victoria de la destrucción y la ruina.

Era de noche; una noche de verano, templada, llena de perfumes y de rumores apacibles, y con una luna blanca y serena en mitad de un cielo azul, luminoso.

Manrique, presa su imaginación de un vértigo de poesía, después de atravesar el puente, desde donde contempló un momento la negra silueta de la ciudad que se destacaba sobre el fondo de algunas nubes blanquecinas y ligeras arrolladas en el horizonte, se internó en las desiertas ruinas de los Templarios.

La medianoche tocaba a su punto. La luna, que se había ido remontando lentamente, estaba ya en lo más alto del

cielo, cuando al entrar en una oscura alameda que condu-
cía desde el derruido claustro a la margen del Duero, Man-
rique exhaló un grito, un grito leve, ahogado, mezcla ex-
traña de sorpresa, de temor y de júbilo.

En el fondo de la sombría alameda había visto agitarse
una cosa blanca que flotó un momento y desapareció en
la oscuridad. La orla del traje de una mujer, de una mujer
que había cruzado el sendero y se ocultaba entre el follaje,
en el mismo instante en que el loco soñador de quimeras e
imposibles penetraba en los jardines.

—¡Una mujer desconocida!... ¡En este sitio!... ¡A estas
horas! Ésa, ésa es la mujer que yo busco —exclamó Man-
rique; y se lanzó en su seguimiento, rápido como una saeta.

III

Llegó al punto en que había visto perderse, entre la es-
pesura de las ramas, a la mujer misteriosa. Había desapa-
recido. ¿Por dónde? Allá lejos, muy lejos, creyó divisar por
entre los cruzados troncos de los árboles como una clari-
dad o una forma blanca que se movía.

—¡Es ella, es ella, que lleva alas en los pies y huye como
una sombra! —dijo, y se precipitó en su busca, separando
con las manos las redes de yedra que se extendían como
un tapiz de unos en otros álamos. Llegó, rompiendo por en-
tre la maleza y las plantas parásitas, hasta una especie de
rellano que iluminaba la claridad del cielo... ¡Nadie!—.
¡Ah!... por aquí, por aquí va —exclamó entonces—. Oigo
sus pisadas sobre las hojas secas, y el crujido de su traje,
que arrastra por el suelo y roza en los arbustos —y corría
y corría como un loco, de aquí para allá, y no la veía—.
Pero siguen sonando sus pisadas —murmuró otra vez—;
creo que ha hablado; no hay duda, ha hablado... El viento,
que suspira entre las ramas; las hojas, que parece que rezan
en voz baja, me han impedido oír lo que ha dicho; pero no
hay duda: va por ahí, ha hablado..., ha hablado... ¿En qué
idioma? No sé; pero es una lengua extranjera...

Y tornó a correr en su seguimiento. Afán inútil. Unas ve-
ces creyendo verla, otras pensando oírla; ya notando que
las ramas por entre las cuales había desaparecido se mo-
vían, aún ahora imaginando distinguir en la arena la hue-

lla de sus breves pies; luego, firmemente persuadido de que un perfume especial, que aspiraba a intervalos, era un aroma perteneciente a aquella mujer, que se burlaba de él complaciéndose en huirle por entre aquellas intrincadas malezas.

Vagó algunas horas de un lado a otro, fuera de sí, ya parándose para escuchar, ya deslizándose con las mayores precauciones sobre la hierba, ya en una carrera frenética y desesperada.

Avanzando, avanzando por entre los inmensos jardines que bordaban la margen del río, llegó al fin al pie de las rocas sobre las que se eleva la ermita de San Saturio.

—Tal vez, desde esta altura podré orientarme para seguir mis pesquisas a través de ese confuso laberinto —exclamó, trepando de peña en peña con la ayuda de su daga.

Llegó a la cima, desde ella se descubre la ciudad en lontananza y una gran parte del Duero, que se retuerce a sus pies, arrastrando una corriente impetuosa y oscura por entre las corvas márgenes que lo encarcelan.

Manrique, una vez en lo alto de las rocas, tendió la vista a su alrededor, pero al tenderla y fijarla al cabo en un punto, no pudo contener una blasfemia.

La luz de la luna rielaba chispeando en la estela que dejaba en pos de sí una barca que se dirigía a todo remo a la orilla opuesta.

En aquella barca había creído distinguir una forma blanca y esbelta, una mujer sin duda, la mujer que había visto en los Templarios, la mujer de sus sueños, la realización de sus más locas esperanzas. Se descolgó de las peñas con la agilidad de un gamo, arrojó al suelo la gorra, cuya redonda y larga pluma podía embarazarle para correr, y desnudándose del ancho capotillo de terciopelo, partió como una exhalación hacia el puente.

Pensaba atravesarlo y llegar a la ciudad antes que la barca tocase en la orilla. ¡Locura! Cuando Manrique llegó, jadeante y cubierto de sudor, a la entrada, ya los que habían atravesado el Duero por la parte de San Saturio entraban en Soria por una de las puertas del muro, que en aquel tiempo llegaba hasta la margen del río, en cuyas aguas se retrataban sus pardas almenas.

IV

Aunque desvanecida su esperanza de alcanzar a los que habían entrado por el postigo de San Saturio, no por eso nuestro héroe perdió las de saber la casa que en la ciudad podía albergarlos. Fija en su mente esta idea, penetró en la población y, dirigiéndose hacia el barrio de San Juan, comenzó a vagar por sus calles a la aventura.

Las calles de Soria eran entonces, y lo son todavía, estrechas, oscuras y tortuosas. Un silencio profundo reinaba en ellas, silencio que sólo interrumpían, ora el lejano ladrido de un perro, ora el rumor de una puerta al cerrarse, ora el relincho de un corcel que piafando hacía sonar la cadena que lo sujetaba al pesebre en las subterráneas caballerizas.

Manrique, con el oído atento a estos rumores de la noche, que unas veces le parecían los pasos de alguna persona que había doblado ya la última esquina de un callejón desierto; otras, voces confusas de gentes que hablaban a sus espaldas y que a cada momento esperaba ver a su lado, anduvo algunas horas corriendo al azar de un sitio a otro.

Por último, se detuvo al pie de un caserón de piedra, oscuro y antiquísimo, y al detenerse brillaron sus ojos con una indescriptible expresión de alegría. En una de las altas ventanas ojivales de aquel que pudiéramos llamar palacio se veía un rayo de luz templada y suave, que pasando a través de unas ligeras colgaduras de seda color de rosa, se reflejaba en el negruzco y grieteado paredón de la casa de enfrente.

—No cabe duda; aquí vive mi desconocida —murmuró el joven en voz baja y sin apartar un punto sus ojos de la ventana gótica—; aquí vive... Ella entró por el postigo de San Saturio... Por el postigo de San Saturio se viene a este barrio... En este barrio hay una casa donde, pasada la medianoche, aún hay gente en vela... En vela. ¿Quién sino ella, que vuelve de sus nocturnas excursiones, puede estarlo a estas horas?... No hay más; ésta es su casa.

En esta firme persuasión, y revolviendo en su cabeza las más locas y fantásticas imaginaciones, esperó el alba frente a la ventana gótica, de la que en toda la noche no faltó la luz ni él separó la vista un momento.

Cuando llegó el día, las macizas puertas del arco que daba

entrada al caserón, y sobre cuya clave se veían esculpidos los blasones de su dueño, giraron pesadamente sobre los goznes, con un chirrido prolongado y agudo. Un escudero apareció en el dintel con un manojo de llaves en la mano, estregándose los ojos y enseñando al bostezar una caja de dientes capaces de dar envidia a un cocodrilo.

Verlo Manrique y lanzarse a la puerta, todo fue obra de un instante.

—¿Quién habita en esta casa? ¿Cómo se llama ella? ¿De dónde es? ¿A qué ha venido a Soria? ¿Tiene esposo? Responde, responde, animal —ésta fue la salutación que, sacudiéndole el brazo violentamente, dirigió al pobre escudero, el cual, después de mirarle un buen espacio de tiempo con ojos espantados y estúpidos, le contestó con voz entrecortada por la sorpresa:

—En esta casa vive el muy honrado señor don Alonso de Valdecuellos, montero mayor de nuestro señor el rey, que, herido en la guerra contra moros, se encuentra en esta ciudad reponiéndose de sus fatigas.

—Pero ¿y su hija? —interrumpió el joven, impaciente—. ¿Y su hija, o su hermana, o su esposa, o lo que sea?

—No tiene ninguna mujer consigo.

—¡No tiene ninguna!... Pues ¿quién duerme allí en aquel aposento, donde toda la noche he visto arder una luz?

—¿Allí? Allí duerme mi señor don Alonso que, como se halla enfermo, mantiene encendida su lámpara hasta que amanece.

Un rayo cayendo de improviso a sus pies no le hubiera causado más asombro que el que le causaron estas palabras.

V

—Yo la he de encontrar, la he de encontrar; y si la encuentro, estoy casi seguro de que he de conocerla... ¿En qué? Eso es lo que no podré decir..., pero he de conocerla. El eco de su pisada o una sola palabra suya que vuelva a oír, un extremo de su traje, un solo extremo que vuelva a ver, me bastarán para conseguirlo. Noche y día estoy mirando flotar delante de mis ojos aquellos pliegues de una tela diáfana y blanquísima; noche y día me están sonando aquí dentro, dentro de la cabeza, el crujido de su traje, el con-

fuso rumor de sus ininteligibles palabras. ¿Qué dijo?... ¿Qué dijo?... ¡Ah!, si yo pudiera saber lo que dijo, acaso...; pero aun sin saberlo, la encontraré...; la encontraré; me lo da el corazón, y mi corazón no me engaña nunca. Verdad es que ya he recorrido inútilmente todas las calles de Soria; que he pasado noches y noches al sereno, hecho poste de una esquina; que he gastado más de veinte doblas de oro en hacer charlar a dueñas y escuderos; que he dado agua bendita en San Nicolás a una vieja, arrebujada con tal arte en su manto de anascote, que se me figuró una deidad; y al salir de la Colegiata, una noche de maitines, he seguido como un tonto la litera del Arcediano, creyendo que el extremo de sus hopalandas era el del traje de mi desconocida; pero no importa...; yo la he de encontrar, y la gloria de poseerla excederá seguramente al trabajo de buscarla.

»¿Cómo serán sus ojos?... Deben ser azules, azules y húmedos como el cielo de la noche; me gustan tanto los ojos de ese color; son tan expresivos, tan melancólicos, tan... Sí..., no hay duda: azules deben ser, azules son seguramente, y sus cabellos, negros, muy negros y largos para que floten... Me parece que los vi flotar aquella noche, al par que su traje, y eran negros...; no me engaño, no; eran negros.

»¡Y qué bien hacen unos ojos azules muy rasgados y adormidos, y una cabellera suelta, flotante y oscura, a una mujer alta...; porque... ella es alta, alta y esbelta como esos ángeles de las portadas de nuestras basílicas, cuyos ovalados rostros envuelven en un misterioso crepúsculo las sombras de sus doseles de granito!

»¡Su voz!... Su voz la he oído...; su voz es suave como el rumor del viento en las hojas de los álamos, y su andar acompasado y majestuoso como las cadencias de una música.

»Y esa mujer, que es hermosa como el más hermoso de mis sueños de adolescente, que piensa como yo pienso, que gusta de lo que yo gusto, que odia lo que yo odio, que es un espíritu hermano de mi espíritu, que es el complemento de mi ser, ¿no se ha de sentir conmovida al encontrarme? ¿No me ha de amar como yo la amaré, como la amo ya, con todas las fuerzas de mi vida, con todas las facultades de mi alma?

»Vamos, vamos al sitio donde la vi la primera y única

vez que la he visto... Quién sabe si, caprichosa como yo, amiga de la soledad y el misterio, como todas las almas soñadoras, se complace en vagar por entre las ruinas en el silencio de la noche.

Dos meses habían transcurrido desde que el escudero de don Alonso de Valdecuellos desengañó al iluso Manrique; dos meses durante los cuales en cada hora había formado un castillo en el aire, que la realidad desvanecía con un soplo; dos meses durante los cuales había buscado en vano a aquella mujer desconocida, cuyo absurdo amor iba creciendo en su alma, merced a sus aún más absurdas imaginaciones, cuando, después de atravesar, absorto en estas ideas, el puente que conduce a los Templarios, el enamorado joven se perdió entre las intrincadas sendas de sus jardines.

VI

La noche estaba serena y hermosa; la luna brillaba en toda su plenitud en lo más alto del cielo, y el viento suspiraba con un rumor dulcísimo entre las hojas de los árboles.

Manrique llegó al claustro, tendió la vista por su recinto y miró a través de las macizas columnas de sus arcadas... Estaba desierto.

Salió de él, encaminó sus pasos hacia la oscura alameda que conduce al Duero, y aún no había penetrado en ella, cuando de sus labios se escapó un grito de júbilo.

Había visto flotar un instante y desaparecer, el extremo del traje blanco, del traje blanco de la mujer de sus sueños, de la mujer que ya amaba como un loco.

Corre, corre en su busca; llega al sitio en que la ha visto desaparecer; pero al llegar se detiene, fija los espantados ojos en el suelo, permanece un rato inmóvil; un ligero temblor nervioso agita sus miembros, un temblor que va creciendo, que va creciendo, y ofrece los síntomas de una verdadera convulsión, y prorrumpe, al fin, en una carcajada, en una carcajada sonora, estridente, horrible.

Aquella cosa blanca, ligera, flotante, había vuelto a brillar ante sus ojos; pero había brillado a sus pies un instante, no más que un instante.

Era un rayo de luna, un rayo de luna que penetraba a intervalos por entre la verde bóveda de los árboles cuando el viento movía las ramas.

..

Habían pasado algunos años. Manrique, sentado en un sitial, junto a la alta chimenea gótica de su castillo, inmóvil casi, y con una mirada vaga e inquieta como la de un idiota, apenas prestaba atención ni a las caricias de su madre ni a los consuelos de sus servidores.

—Tú eres joven, tú eres hermoso —le decía aquélla—. ¿Por qué te consumes en la soledad? ¿Por qué no buscas una mujer a quien ames, y que amándote pueda hacerte feliz?

—¡El amor!... El amor es un rayo de luna —murmuraza el joven.

—¿Por qué no despertáis de ese letargo? —le decía uno de sus escuderos—. Os vestís de hierro de pies a cabeza; mandáis desplegar al aire vuestro pendón de rico hombre, y marchamos a la guerra. En la guerra se encuentra la gloria.

—¡La gloria!... La gloria es un rayo de luna.

—¿Queréis que os diga una cántiga, la última que ha compuesto mosén Arnaldo, el trovador provenzal?

—¡No! ¡No! —exclamó por último el joven, incorporándose colérico en su sitial—. No quiero nada...; es decir, sí quiero: quiero que me dejéis solo... Cántigas..., mujeres..., glorias..., felicidad..., mentiras todo, fantasmas vanos que formamos en nuestra imaginación y vestimos a nuestro antojo, y los amamos y corremos tras ellos, ¿para qué?, ¿para qué? Para encontrar un rayo de luna.

Manrique estaba loco; por lo menos, todo el mundo lo creía así. A mí, por el contrario, se me figura que lo que había hecho era recuperar el juicio.

EL MISERERE [6]

(LEYENDA RELIGIOSA)

Hace algunos meses que, visitando la célebre abadía de Fitero y ocupándome en revolver algunos volúmenes en su abandonada biblioteca, descubrí en uno de sus rincones dos o tres cuadernos de música bastante antiguos, cubiertos de polvo y hasta comenzados a roer por los ratones.

Era un *Miserere.*

Yo no sé la música; pero le tengo tanta afición que, aun sin entenderla, suelo coger a veces la partitura de una ópera y me paso las horas muertas hojeando sus páginas, mirando los grupos de notas más o menos apiñadas, las rayas, los semicírculos, los triángulos y las especies de etcéteras que llaman llaves, y todo esto sin comprender una jota ni sacar maldito el provecho.

Consecuente con mi manía, repasé los cuadernos, y lo primero que me llamó la atención fue que, aunque en la última página había esta palabra latina, tan vulgar en todas las obras, *finis,* la verdad es que el *Miserese* no estaba terminado, porque la música no alcanzaba sino hasta el décimo versículo.

Esto fue, sin duda, lo que me llamó la atención primeramente; pero luego que me fijé un poco en las hojas de música, me chocó más aún el observar que en vez de esas palabras italianas que ponen en todas, como *maestoso, allegro, ritardando, più vivo, a piacere,* había unos renglones escritos con letra muy menuda y en alemán, de los cuales algunos servían para advertir cosas tan difíciles de hacer como esto: «Crujen... crujen los huesos, y de sus medulas ha de parecer que salen los alaridos»; o esta otra: «La cuerda aúlla sin discordar, el metal atruena sin ensordecer; por eso suena todo y no se confunde nada, y todo es la humanidad que solloza y gime»; o la más original de todas, sin duda, recomendaba al pie del último versículo: «Las notas son huesos cubiertos de carne; lumbre inextinguible, los cielos y su armonía... ¡fuerza!..., fuerza y dulzura.»

6. Publicada en *El Contemporáneo,* Madrid, 17 de abril de 1862.

—¿Sabéis qué es esto? —pregunté a un viejecito que me acompañaba, al acabar de medio traducir estos renglones, que parecían frases escritas por un loco.

El anciano me contó entonces la leyenda que voy a referiros.

I

Hace ya muchos años, en una noche lluviosa y oscura, llegó a la puerta claustral de esta abadía un romero y pidió un poco de lumbre para secar sus ropas, un pedazo de pan con que satisfacer su hambre y un albergue cualquiera donde esperar la mañana y proseguir con la luz del sol su camino.

Su modesta colación, su pobre lecho y su encendido hogar puso el hermano a quien se hizo esta demanda a la disposición del caminante, al cual, después que se hubo repuesto de su cansancio, interrogó acerca del objeto de su romería y del punto a que se encaminaba.

—Yo soy músico —respondió el interpelado—. He nacido muy lejos de aquí, y en mi patria gocé un día de gran renombre. En mi juventud hice de mi arte un arma poderosa de seducción y encendí con él pasiones que me arrastraron a un crimen. En mi vejez quiero convertir al bien las facultades que he empleado para el mal, redimiéndome por donde mismo pude condenarme.

Como las enigmáticas palabras del desconocido no pareciesen del todo claras al hermano lego, en quien ya comenzaba la curiosidad a despertarse, e instigado por ésta continuara en sus preguntas, su interlocutor prosiguió de este modo:

—Lloraba yo en el fondo de mi alma la culpa que había cometido; mas al intentar pedirle a Dios misericordia no encontraba palabras para expresar dignamente mi arrepentimiento, cuando un día se fijaron mis ojos por casualidad sobre un libro santo. Abrí aquel libro, y en una de sus páginas encontré un gigante grito de contricción verdadera, un salmo de David, el que comienza: *Miserere mei, Deus!* Desde el instante en que hube leído sus estrofas, mi único pensamiento fue hallar una forma musical tan magnífica, tan sublime, que bastase a contener el grandioso himno de

dolor del Rey Profeta. Aún no la he encontrado; pero si logro expresar lo que siento en mi corazón, lo que oigo confusamente en mi cabeza, estoy seguro de hacer un *Miserere* tal y tan maravilloso, que no hayan oído otro semejante los nacidos; tal y tan desgarrador, que al escuchar el primer acorde los arcángeles dirán conmigo cubiertos los ojos de lágrimas y dirigiéndose al Señor: «¡Misericordia!», y el Señor la tendrá de su pobre criatura.

El romero, al llegar a este punto de su narración, calló por un instante y después, exhalando un suspiro, tornó a coger el hilo de su discurso. El hermano lego, algunos dependientes de la abadía y dos o tres pastores de la granja de los frailes que formaban círculo alrededor del hogar, le escuchaban en un profundo silencio.

—Después —continuó— de recorrer toda Alemania, toda Italia y la mayor parte de este país clásico para la música religiosa, aún no he oído un *Miserere* en que pueda inspirarme, ni uno, ni uno, y he oído tantos, que puedo decir que los he oído todos.

—¿Todos? —dijo entonces, interrumpiéndole, uno de los rabadanes—. ¿A que no habéis oído aún el *Miserere de la Montaña?*

—¡El *Miserere de la Montaña*! —exclamó el músico con aire de extrañeza—. ¿Qué *Miserere* es ése?

—¿No dije? —murmuró el campesino, y luego prosiguió con una entonación misteriosa—: Ese *Miserere*, que sólo oyen por casualidad los que, como yo, andan día y noche tras el ganado por entre breñas y peñascales, es toda una historia, una historia muy antigua, pero tan verdadera como, al parecer, increíble.

»Es el caso que en lo más fragoso de esas cordilleras de montañas que limitan el horizonte del valle, en el fondo del cual se halla la abadía, hubo hace muchos años, ¡qué digo muchos años!, muchos siglos, un monasterio famoso, cuyo monasterio, a lo que parece, edificó a sus expensas un señor con los bienes que había de legarle a su hijo, al cual desheredó al morir, en pena de sus maldades. Hasta aquí todo fue bueno; pero es el caso que este hijo, que por lo que se verá más adelante debió ser la piel del diablo, si no era el mismo diablo en persona, sabedor de que sus bienes estaban en poder de los religiosos y de que su castillo se había transformado en iglesia, reunió a unos cuantos bandoleros, ca-

maradas suyos en la vida de perdición que emprendiera al abandonar la casa de sus padres, y una noche de Jueves Santo, en que los monjes se hallaban en el coro, y en el punto y hora en que iban a comenzar o habían comenzado el *Miserere* pusieron fuego al monasterio, entraron a saco la iglesia, y a éste quiero, a aquél no, se dice que no dejaron fraile a vida. Después de esta atrocidad se marcharon los bandidos, y su instigador con ellos, a dónde no se sabe, a los profundos tal vez. Las llamas redujeron el monasterio a escombros; de la iglesia aún quedan en pie las ruinas sobre el cóncavo peñón de donde nace la cascada que, después de estrellarse de peñón en peñón, forma el riachuelo que viene a bañar los muros de esta abadía.

—Pero —interrumpió impaciente el músico— ¿y el *Miserere?*

—Aguardaos —continuó con gran sorna el rabadán—, que todo irá por partes.

Dicho lo cual, siguió así su historia:

—Las gentes de los contornos se escandalizaron del crimen: de padres a hijos y de hijos a nietos se refirió con horror en las largas noches de velada; pero lo que mantiene más viva su memoria es que todos los años, tal noche como en la que se consumó, se ven brillar luces a través de las rotas ventanas de la iglesia, y se oyen como una especie de música extraña y unos cantos lúgubres y aterradores que se perciben a intervalos en las ráfagas del aire. Son los monjes, los cuales, muertos tal vez sin hallarse preparados para presentarse en el tribunal de Dios limpios de toda culpa, vienen aún del purgatorio a impetrar su misericordia cantando el *Miserere*.

Los circunstantes se miraron unos a otros con muestras de incredulidad; sólo el romero, que parecía vivamente preocupado con la narración de la historia, preguntó con ansiedad al que la había referido:

—¿Y decís que ese portento se repite aún?

—Dentro de tres horas comenzará sin falta alguna, porque precisamente esta noche es la del Jueves Santo y acaban de dar las ocho en el reloj de la abadía.

—¿A qué distancia se encuentra el monasterio?

—A una legua y media escasa.

—Pero ¿qué hacéis? ¿Adónde vais con una noche como ésta? ¡Estáis dejado de la mano de Dios! —exclamaron to-

dos, al ver que el romero, levantándose de su escaño y tomando el bordón, abandonaba el hogar para dirigirse a la puerta.

—¿Adónde voy? A oír esa maravillosa música, a oír el grande, el verdadero *Miserere*, el *Miserere* de los que vuelven al mundo después de muertos y saben lo que es morir en el pecado.

Y esto diciendo, desapareció de la vista del espantado lego y de los no menos atónitos pastores.

El viento zumbaba y hacía crujir las puertas, como si una mano poderosa pugnase por arrancarlas de sus quicios; la lluvia caía en turbiones, azotando los vidrios de las ventanas, y de cuando en cuando la luz de un relámpago iluminaba por un instante todo el horizonte que desde ellas se descubría.

Pasado el primer momento de estupor:

—¡Está loco! —exclamó el lego.

—¡Está loco! —repitieron los pastores, y atizaron de nuevo la lumbre y se agruparon alrededor del hogar.

II

Después de una o dos horas de camino, el misterioso personaje que calificaron de loco en la abadía, remontando la corriente del riachuelo que le indicó el rabadán de la historia, llegó al punto en que se levantaban, negras e imponentes, las ruinas del monasterio.

La lluvia había cesado; las nubes flotaban en oscuras bandas, por entre cuyos jirones se deslizaba a veces un furtivo rayo de luz pálida y dudosa; y el aire, al azotar los fuertes machones y extenderse por los desiertos claustros, diríase que exhalaba gemidos. Sin embargo, nada sobrenatural, nada extraño venía a herir la imaginación. Al que había dormido más de una noche sin otro amparo que las ruinas de una torre abandonada o un castillo solitario; al que había arrostrado en su larga peregrinación cien y cien tormentas, todos aquellos ruidos le eran familiares.

Las gotas de agua que se filtraban por entre las grietas de los rotos arcos y caían sobre las losas con un rumor acompasado, como el de la péndola de un reloj; los gritos del búho, que graznaba refugiado bajo el nimbo de piedra

de una imagen de pie aún en el hueco de un muro; el ruido de los reptiles, que, despiertos de su letargo por la tempestad, sacaban sus disformes cabezas de los agujeros donde duermen o se arrastraban por entre los jaramagos y los zarzales que crecían al pie del altar, entre las junturas de las lápidas sepulcrales que formaban el pavimento de la iglesia, todos esos extraños y misteriosos murmullos del campo, de la soledad y de la noche, llegaban perceptibles al oído del romero, que, sentado sobre la mutilada estatua de una tumba, aguardaba ansioso la hora que debiera realizarse el prodigio.

Transcurrió tiempo y tiempo, y nada se percibió: aquellos mil confusos rumores seguían sonando y combinándose de mil maneras distintas, pero siempre los mismos.

«¡Si me habrá engañado!», pensó el músico; pero en aquel instante se oyó un ruido nuevo, un ruido inexplicable en aquel lugar, como el que produce un reloj algunos segundos antes de sonar la hora: ruido de ruedas que giran, de cuerdas que se dilatan, de maquinaria que se agita sordamente y se dispone a usar de su misteriosa vitalidad mecánica, y sonó una campanada..., dos..., tres..., hasta once.

En el derruido templo no había campana, ni reloj, ni torre ya siquiera.

Aún no había expirado, debilitándose de eco en eco, la última campanada; todavía se escuchaba su vibración temblando en el aire, cuando los doseles de granito que cobijaban las esculturas, las gradas de mármol de los altares, los sillares de las ojivas, los calados antepechos del coro, los festones de tréboles de las cornisas, los negros machones de los muros, el pavimento, las bóvedas, la iglesia entera comenzó a iluminarse espontáneamente, sin que se viese una antorcha, un cirio o una lámpara que derramase aquella insólita claridad.

Parecía como un esqueleto de cuyos huesos amarillos se desprende ese gas fosfórico que brilla y humea en la oscuridad con una luz azulada, inquieta y medrosa.

Todo pareció animarse, pero con ese movimiento galvánico que imprime a la muerte contracciones que parodian la vida, movimiento instantáneo, más horrible aún que la inercia del cadáver que agita con su desconocida fuerza. Las piedras se reunieron a las piedras; el ara, cuyos rotos fragmentos se veían antes esparcidos sin orden, se levantó

intacta, como si acabase de dar en ella su último golpe de cincel el artífice, y a par del ara se levantaron las derribadas capillas, los rotos capiteles y las destrozadas e inmensas series de arcos que, cruzándose y enlazándose caprichosamente entre sí, formaron con sus columnas un laberinto de pórfido.

Una vez reedificado el templo, comenzó a oírse un acorde lejano que pudiera confundirse con el zumbido del aire, pero que era un conjunto de voces lejanas y graves que parecían salir del seno de la tierra e irse elevando poco a poco, haciéndose de cada vez más perceptible.

El osado peregrino comenzaba a tener miedo; pero con su miedo luchaba aún su fanatismo por todo lo desusado y maravilloso, y alentado por él dejó la tumba sobre que reposaba, se inclinó al borde del abismo por entre cuyas rocas saltaba el torrente, despeñándose con un trueno incesante y espantoso, y sus cabellos se erizaron de horror.

Mal envueltos en los jirones de su hábitos, caladas las capuchas, bajo los pliegues de las cuales contrastaban con sus descarnadas mandíbulas y los blancos dientes las oscuras cavidades de los ojos de sus calaveras, vio los esqueletos de los monjes, que fueron arrojados desde el pretil de la iglesia a aquel precipicio, salir del fondo de las aguas y, agarrándose con los largos dedos de sus manos de hueso a las grietas de las peñas, trepar por ellas hasta tocar el borde, diciendo con voz baja y sepulcral, pero con una desgarradora expresión de dolor, el primer versículo del salmo de David:

—*Miserere mei, Deus, secundum magnam misericordiam tuam!*

Cuando los monjes llegaron al peristilo del templo, se ordenaron en dos hileras y, penetrando en él, fueron a arrodillarse en el coro, donde, con voz más levantada y solemne, prosiguieron entonando los versículos del salmo. La música sonaba al compás de sus voces: aquella música era el rumor distante del trueno, que, desvanecida la tempestad, se alejaba murmurando; era el zumbido del aire que gemía en la concavidad del monte; era el monótono ruido de la cascada que caía sobre las rocas, y la gota de agua que se filtraba, y el grito del búho escondido, y el roce de los reptiles inquietos. Todo esto era la música y algo más que no puede explicarse ni apenas concebirse; algo más que

parecía como el eco de un órgano que acompañaba los ver-
sículos del gigante himno de contrición del rey salmista, con
notas y acordes tan gigantes como sus palabras terribles.

Siguió la ceremonia; el músico, que la presenciaba, ab-
sorto y aterrado, creía estar fuera del mundo real, vivir en
esa región fantástica del sueño, en que todas las cosas se
revisten de formas extrañas y fenomenales.

Un sacudimiento terrible vino a sacarle de aquel estupor
que embargaba todas las facultades de su espíritu. Sus ner-
vios saltaron al impulso de una conmoción fuertísima, sus
dientes chocaron, agitándose con un temblor imposible de
reprimir, y el frío penetró hasta en la medula de los huesos.

Los monjes pronunciaban en aquel instante estas espanto-
sas palabras del *Miserere*:

—*In iniquitatibus conceptus sum: et in peccatis concepit
me mater mea.*

Al resonar este versículo y dilatarse sus ecos retumbando
de bóveda en bóveda, se levantó un alarido tremendo, que
parecía un grito de dolor arrancado a la humanidad entera
por la conciencia de sus maldades; un grito horroroso, for-
mado de todos los lamentos del infortunio, de todos los au-
llidos de la desesperación, de todas las blasfemias de la im-
piedad; concierto mostruoso, digno intérprete de los que
viven en el pecado y fueron concebidos en la iniquidad.

Prosiguió el canto, ora tristísimo y profundo, ora seme-
jante a un rayo de sol que rompe la nube oscura de una
tempestad, haciendo suceder a un relámpago de terror otro
relámpago de júbilo, hasta que, merced a una transforma-
ción súbita, la iglesia resplandeció bañada en luz celeste;
las osamentas de los monjes se vistieron de sus carnes; una
aureola luminosa brilló en derredor de sus frentes; se rom-
pió la cúpula, y a través de ella se vio el cielo como un océa-
no de lumbre abierto a la mirada de los justos.

Los serafines, los arcángeles, los ángeles y las jerarquías
acompañaban con un himno de gloria este versículo, que su-
bía entonces al trono del Señor como una tromba armóni-
ca, como una gigantesca espiral de sonoro incienso:

—*Auditui meo dabis gaudium et laetitiam: et exultabunt
ossa humiliata.*

En este punto, la claridad deslumbradora cegó los ojos
del romero, sus sienes latieron con violencia, zumbaron sus
oídos y cayó sin conocimiento por tierra, y no oyó más.

III

Al día siguiente, los pacíficos monjes de la abadía de Fitero, a quienes el hermano lego había dado cuenta de la extraña visita de la noche anterior, vieron entrar por sus puertas, pálido y como fuera de sí, al desconocido romero.

—¿Oísteis, al cabo, el *Miserere*? —le preguntó con cierta mezcla de ironía el lego, lanzando a hurtadillas una mirada de inteligencia a sus superiores.

—Sí —respondió el músico.

—¿Y qué tal os ha parecido?

—Lo voy a escribir. Dadme un asilo en vuestra casa —prosiguió dirigiéndose al abad—, un asilo y pan por algunos meses, y voy a dejaros una obra inmortal del arte, un *Miserere* que borre mis culpas a los ojos de Dios, eternice mi memoria y eternice con ella la de esta abadía.

Los monjes, por curiosidad, aconsejaron al abad que accediese a su demanda. El abad, por compasión, aun creyéndole un loco, accedió, al fin, a ella y el músico, instalado ya en el monasterio, comenzó su obra.

Noche y día trabajaba con un afán incesante. En mitad de su tarea se paraba y parecía como escuchar algo que sonaba en su imaginación, y se dilataban sus pupilas, saltaba en el asiento y exclamaba:

—¡Eso es; así, así, no hay duda..., así! —y proseguía escribiendo notas con una rapidez febril, que dio en más de una ocasión que admirar a los que le observaban sin ser vistos.

Escribió los primeros versículos y los siguientes y hasta la mitad del salmo; pero al llegar al último que había oído en la montaña le fue imposible proseguir.

Escribió uno, dos, cien, doscientos borradores: todo inútil. Su música no se parecía a aquella música ya anotada, y el sueño huyó de sus párpados y perdió el apetito, y la fiebre se apoderó de su cabeza, y se volvió loco, y se murió en fin, sin poder terminar el *Miserere*, que, como una cosa extraña, guardaron los frailes a su muerte y aún se conserva hoy en el archivo de la abadía.

Cuando el viejecito concluyó de contarme esta historia, no pude menos de volver otra vez los ojos al empolvado

y antiguo manuscrito del *Miserere,* que aún estaba abierto sobre una de las mesas.

In peccatis concepit me mater mea...

Éstas eran las palabras de la página que tenía ante mi vista, y que parecía mofarse de mí con sus notas, sus llaves y sus garabatos ininteligibles para los legos en la música. Por haberlas podido leer hubiera dado un mundo. ¿Quién sabe si no será una locura?

LA PROMESA [7]

(LEYENDA CASTELLANA)

I

MARGARITA lloraba con el rostro oculto entre las manos; lloraba sin gemir, pero las lágrimas corrían silenciosas a lo largo de sus mejillas, deslizándose por entre sus dedos para caer en la tierra, hacia la que había doblado su frente.

Junto a Margarita estaba Pedro; éste levantaba de cuando en cuando los ojos para mirarla, y viéndola llorar, tornaba a bajarlos, guardando a su vez un silencio profundo.

Y todo callaba alrededor y parecía respetar su pena. Los rumores del campo se apagaban; el viento de la tarde dormía y las sombras comenzaban a envolver los espesos árboles del soto.

Así transcurrieron algunos minutos, durante los cuales se acabó de borrar el rastro de luz que el sol había dejado al morir en el horizonte; la luna comenzó a dibujarse vagamente sobre el fondo violado del cielo del crepúsculo, y unas tras otras fueron apareciendo las mayores estrellas.

Pedro rompió al fin aquel silencio angustioso, exclamando con voz sorda y entrecortada, y como si hablase consigo mismo:

7. Publicada en *La América,* Madrid, 12 de febrero de 1863.

—¡Es imposible..., imposible!

Después, acercándose a la desconsolada niña y tomando una de sus manos, prosiguió con acento más cariñoso y suave:

—Margarita, para ti el amor es todo, y tú no ves nada más allá del amor. No obstante, hay algo tan respetable como nuestro cariño, y es mi deber. Nuestro señor, el conde de Gómara, parte mañana de su castillo para reunir su hueste a las del rey don Fernando, que va a sacar a Sevilla del poder de los infieles, y yo debo partir con el conde. Huérfano oscuro, sin nombre y sin familia, a él le debo cuanto soy. Yo le he servido en el ocio de las paces, he dormido bajo su techo, me he calentado en su hogar y he comido el pan a su mesa. Si hoy le abandono, mañana sus hombres de armas al salir en tropel por las poternas de su castillo, preguntarán maravillados de no verme: «¿Dónde está el escudero favorito del conde de Gómara?», y mi señor callará con vergüenza, y sus pajes y sus bufones dirán, en son de mofa: «El escudero del conde no es más que un galán de justas, un lidiador de cortesía.»

Al llegar a este punto, Margarita levantó sus ojos, llenos de lágrimas, para fijarlos en los de su amante, y removió los labios como para dirigirle la palabra; pero su voz se ahogó en un sollozo.

Pedro, con acento aún más dulce y persuasivo, prosiguió así:

—No llores, por Dios, Margarita; no llores, porque tus lágrimas me hacen daño. Voy a alejarme de ti; mas yo volveré después de haber conseguido un poco de gloria para mi nombre oscuro... El cielo nos ayudará en la santa empresa. Conquistaremos a Sevilla, y el rey nos dará feudos en las riberas del Guadalquivir a los conquistadores. Entonces volveré en tu busca y nos iremos juntos a habitar en aquel paraíso de los árabes, donde dicen que hasta el cielo es más limpio y más azul que el de Castilla; volveré, te lo juro; volveré a cumplir la palabra solemnemente empeñada el día que puse en tus manos ese anillo, símbolo de una promesa.

—¡Pedro! —exclamó entonces Margarita, dominando su emoción y con voz resuelta y firme—. Ve, ve a mantener tu honra —y al pronunciar estas palabras se arrojó por última vez en brazos de su amante. Después añadió, con acen-

to más sordo y conmovido—: Ve a mantener tu honra; pero
vuelve..., vuelve a traerme la mía.

Pedro besó la frente de Margarita, desató su caballo, que
estaba sujeto a uno de los árboles del soto y se alejó al ga-
lope por el fondo de la alameda.

Margarita siguió a Pedro con los ojos hasta que su som-
bra se confundió entre la niebla de la noche, y cuando ya no
pudo distinguirle, se volvió lentamente al lugar donde la
aguardaban sus hermanos.

—Ponte tus vestidos de gala —le dijo uno de ellos al en-
trar—, que mañana vamos a Gómara con todos los vecinos
del pueblo para ver al conde, que se marcha a Andalucía.

—A mí más me entristece que me alegra ver irse a los
que acaso no han de volver —respondió Margarita con un
suspiro.

—Sin embargo —insistió el otro hermano—, has de venir
con nosotros, y has de venir compuesta y alegre; así no
dirán las gentes murmuradoras que tienes amores en el cas-
tillo y que tus amores se van a la guerra.

II

Apenas rayaba en el cielo la primera luz del alba, cuando
empezó a oírse por todo el campo de Gómara la aguda
trompetería de los soldados del conde, y los campesinos que
llegaban en numerosos grupos de los lugares cercanos vie-
ron desplegarse al viento el pendón señorial en la torre más
alta de la fortaleza.

Unos sentados al borde de los fosos, otros subidos en las
copas de los árboles, éstos vagando por la llanura, aquéllos
coronando las cumbres de las colinas, los de más allá for-
mando un cordón a lo largo de la calzada, ya haría cerca
de una hora que los curiosos esperaban el espectáculo, no
sin que algunos comenzaran a impacientarse, cuando volvió
a sonar de nuevo el toque de los clarines, rechinaron las ca-
denas del puente, que cayó con pausa sobre el foso, y se le-
vantaron los rastrillos, mientras se abrían de par en par, y
gimiendo sobre sus goznes, las pesadas puertas del arco que
conducía al patio de armas.

La multitud corrió a agolparse en los ribazos del camino
para ver más a su sabor las brillantes armaduras y los lu-

josos arreos del séquito del conde de Gómara, célebre en toda la comarca por su esplendidez y sus riquezas.

Rompieron la marcha los farautes, que, deteniéndose de trecho en trecho, pregonaban en alta voz y a son de caja las cédulas del rey llamando a sus feudatarios a la guerra de moros y requiriendo a las villas y lugares libres para que diesen paso y ayuda a sus huestes.

A los farautes siguieron los heraldos de corte, ufanos con sus casullas de seda, sus escudos bordados de oro y colores y sus birretes guarnecidos de plumas vistosas.

Después vino el escudero mayor de la casa, armado de punta en blanco, caballero sobre un potro morcillo, llevando en sus manos el pendón de ricohombre con sus motes y sus calderas, y al estribo izquierdo, el ejecutor de las justicias del señorío vestido de negro y rojo.

Precedían al escudero mayor hasta una veintena de aquellos famosos trompeteros de la tierra llana, célebres en las crónicas de nuestros reyes por la increíble fuerza de sus pulmones.

Cuando dejó de herir al viento el agudo clamor de la formidable trompetería, comenzó a oírse un rumor sordo, compasado y uniforme. Eran los peones de la mesnada, armados de largas picas y provistos de sendas adargas de cuero. Tras éstos no tardaron en aparecer los aparejadores de las máquinas, con sus herramientas y sus torres de palo; las cuadrillas de escaladores y la gente menuda del servicio de las acémilas.

Luego, envueltos en la nube de polvo que levantaba el casco de sus caballos, y lanzando chispas de luz de sus petos de hierro, pasaron los hombres de armas del castillo, formados en gruesos pelotones, que semejaban a lo lejos un bosque de lanzas.

Por último, precedido de los timbaleros, que montaban poderosas mulas con gualdrapas y penachos, rodeado de sus pajes, que vestían ricos trajes de seda y oro y seguido de los escuderos de su casa, apareció el conde.

Al verle, la multitud levantó un clamor inmenso para saludarle, y entre la confusa vocería se ahogó el grito de una mujer, que en aquel momento cayó desmayada y como herida de un rayo en los brazos de algunas personas que acudieron a socorrerla. Era Margarita, Margarita, que había conocido a su misterioso amante en el muy alto y muy te-

mido señor conde de Gómara, uno de los más nobles y poderosos feudatarios de la corona de Castilla.

III

El ejército de don Fernando, después de salir de Córdoba, había venido por sus jornadas hasta Sevilla, no sin haber luchado antes en Écija, Carmona y Alcalá del Río de Guadaira, donde, una vez expugnado el famoso castillo, puso los reales a la vista de la ciudad de los infieles.

El conde de Gómara estaba en la tienda sentado en un escaño de alerce, inmóvil, pálido, terrible, las manos cruzadas sobre la empuñadura del montante y los ojos fijos en el espacio con esa vaguedad del que parece mirar un objeto y, sin embargo, no ve nada de cuanto hay a su alrededor.

A un lado, y de pie, le hablaba el más antiguo de los escuderos de su casa, el único que en aquellas horas de negra melancolía hubiera osado interrumpirle sin atraer sobre su cabeza la explosión de su cólera.

—¿Qué tenéis, señor? —le decía—. ¿Qué mal os aqueja y consume? Triste vais al combate y triste volvéis, aun tornando con la victoria. Cuando todos los guerreros duermen rendidos a la fatiga del día, os oigo suspirar angustiado, y si corro a vuestro lecho, os miro allí luchar con algo invisible que os atormenta. Abrís los ojos y vuestro terror no se desvanece. ¿Qué os pasa, señor? Decídmelo. Si es un secreto, yo sabré guardarlo en el fondo de mi memoria como en un sepulcro.

El conde parecía no oír al escudero. No obstante, después de un largo espacio, y como si las palabras hubiesen tardado todo aquel tiempo en llegar desde sus oídos a su inteligencia, salió poco a poco de su inmovilidad y, atrayéndole hacia sí cariñosamente, le dijo con voz grave y reposada:

—He sufrido demasiado en silencio. Creyéndome juguete de una vana fantasía, hasta ahora he callado por vergüenza; pero no, no es ilusión lo que me sucede. Yo debo hallarme bajo la influencia de alguna maldición terrible. El cielo o el infierno deben querer algo de mí, y lo avisan con hechos sobrenaturales. ¿Te acuerdas del día de nuestro encuentro

con los moros de Nebrija en el aljarafe de Triana? Éramos pocos. La pelea fue dura, y yo estuve a punto de perecer. Tú lo viste: en lo más reñido del combate, mi caballo, herido y ciego de furor, se precipitó hacia el grueso de la hueste mora. Yo pugnaba en balde por contenerle. Las riendas se habían escapado de mis manos, y el fogoso animal corría llevándome a una muerte segura. Ya los moros, cerrando sus escuadrones, apoyaban en tierra el cuento de sus largas picas para recibirme en ellas. Una nube de saetas silbaba en mis oídos. El caballo estaba a algunos pies de distancia del muro de hierro en que íbamos a estrellarnos, cuando... Créeme: no fue una ilusión. Vi una mano que, agarrándole de la brida, lo detuvo con una fuerza sobrenatural y, volviéndole en dirección a las filas de mis soldados, me salvó milagrosamente. En vano pregunté a unos y otros por mi salvador. Nadie le conocía, nadie le había visto. «Cuando volabais a estrellaros en la muralla de picas —me dijeron—, ibais solo, completamente solo. Por eso nos maravillamos al veros tornar, sabiendo que ya el corcel no obedecía al jinete.» Aquella noche entré preocupado en mi tienda. Quería en vano arrancarme de la imaginación el recuerdo de la extraña aventura. Mas al dirigirme al lecho torné a ver la misma mano, una mano hermosa, blanca hasta la palidez, que descorrió las cortinas, desapareciendo después de descorrerlas. Desde entonces, a todas horas, en todas partes, estoy viendo esa mano misteriosa que previene mis deseos y se adelanta a mis acciones. La he visto, al expugnar el castillo de Triana, coger entre sus dedos y partir en el aire una saeta que venía a herirme; la he visto, en los banquetes donde procuraba ahogar mi pena entre la confusión y el tumulto, escanciar el vino en mi copa, y siempre se halla delante de mis ojos, y por donde voy me sigue: en la tienda, en el combate, de día, de noche... Ahora mismo, mírala, mírala aquí, apoyada suavemente en mis hombros.

Al pronunciar estas últimas palabras el conde se puso de pie y dio algunos pasos como fuera de sí y embargado de un terror profundo.

El escudero se enjugó una lágrima que corría por sus mejillas. Creyendo loco a su señor, no insistió, sin embargo, en contrariar sus ideas, y se limitó a decirle con voz profundamente conmovida:

—Venid... Salgamos un momento de la tienda. Acaso la

brisa de la tarde refrescará vuestras sienes, calmando ese incomprensible dolor, para el que yo no hallo palabras de consuelo.

IV

El real de los cristianos se extendía por todo el campo de Guadaira hasta tocar en la margen izquierda del Guadalquivir. Enfrente del real, y destacándose sobre el luminoso horizonte, se alzaban los muros de Sevilla, flanqueados de torres, almenadas y fuertes. Por cima de la corona de almenas rebosaba la verdura de los mil jardines de la morisca ciudad, y entre las oscuras manchas del follaje lucían los miradores blancos como la nieve, los minaretes de las mezquitas y la gigantesca atalaya, sobre cuyo aéreo pretil lanzaban chispas de luz, heridas por el sol, las cuatro grandes bolas de oro, que desde el campo de los cristianos parecían cuatro llamas.

La empresa de don Fernando, una de las más heroicas y atrevidas de aquella época, había traído a su alrededor a los más célebres guerreros de los diferentes reinos de la Península, no faltando algunos que de países extraños y distantes vinieran también, llamados por la fama, a unir sus esfuerzos a los del santo rey.

Tendidas a lo largo de la llanura mirábanse, pues, tiendas de campaña de todas formas y colores, sobre el remate de las cuales ondeaban al viento distintas enseñas con escudos partidos, astros, grifos, leones, cadenas, barras y calderas y otras cien y cien figuras o símbolos heráldicos que pregonaban el nombre y la calidad de sus dueños. Por entre las calles de aquella improvisada ciudad circulaban en todas direcciones multitud de soldados, que, hablando dialectos diversos y vestido cada cual al uso de su país y cada cual armado a su guisa, formaban un extraño y pintoresco contraste.

Aquí descansaban algunos señores de las fatigas del combate, sentados en escaños de alerce a la puerta de sus tiendas y jugando a las tablas, en tanto que sus pajes les escanciaban el vino en copas de metal; allí algunos peones aprovechaban un momento de ocio para aderezar y componer sus armas rotas en la última refriega; más allá cu-

brían de saetas un blanco los más expertos ballesteros de
la hueste, entre las aclamaciones de la multitud, pasmada
de su destreza; y el rumor de los atambores, el clamor de
las trompetas, las voces de los mercaderes ambulantes, el
golpear del hierro contra el hierro, los cánticos de los ju-
glares, que entretenían a sus oyentes con la relación de
hazañas portentosas, y los gritos de los farautes que pu-
blicaban las ordenanzas de los maestres del campo, lle-
nando los aires de mil y mil ruidos discordes, prestaban
a aquel cuadro de costumbres guerreras una vida y una
animación imposible de pintar con palabras.

El conde de Gómara, acompañado de su fiel escudero,
atravesó por entre loas animados grupos sin levantar los
ojos de la tierra, silencioso, triste, como si ningún objeto
hiriese su vista ni llegase a su oído el rumor más leve.
Andaba maquinalmente, a la manera que un sonámbulo,
cuyo espíritu se agita en el mundo de los sueños, se mueve
y marcha sin la conciencia de sus acciones y como arras-
trado por una voluntad ajena a la suya.

Próximo a la tienda del rey, y en medio de un gran corro
de soldados, pajecillos y gente menuda que le escuchaban
con la boca abierta apresurándose a comprarle alguna de
las baratijas que anunciaba a voces y con hiperbólicos en-
comios, había un extraño personaje, mitad romero, mitad
juglar que, ora recitando una especie de letanía en latín
bárbaro, ora diciendo una bufonada o una chocarrería,
mezclada en su interminable relación, chistes capaces de
poner colorado a un ballestero con oraciones devotas, his-
torias de amores picarescos con leyendas de santos.

En las inmensas alforjas que colgaban de sus hombros
se hallaban revueltos y confundidos mil objetos diferentes:
cintas tocadas en el sepulcro de Santiago, cédulas con pala-
bras que él decía ser hebraicas, las mismas que dijo el rey
Salomón cuando fundaba el templo y las únicas para li-
bertarse de toda clase de enfermedades contagiosas; bál-
samos maravillosos para pegar a hombres partidos por la
mitad; evangelios cosidos en bolsitas de brocatel, secre-
tos para hacerse amar de todas las mujeres, reliquias de
los santos patrones de todos los lugares de Europa, jo-
yuelas, cadenillas, cinturones, medallas y otras muchas ba-
ratijas de alquimia, de vidrio y plomo.

Cuando el conde llegó cerca del grupo que formaban el

romero y sus admiradores, comenzaba éste a templar una especie de bandolina o guzla árabe con que se acompañaba en la relación de sus romances. Después que hubo estirado bien las cuerdas unas tras otras y con mucha calma, mientras su acompañante daba la vuelta al corro sacando los últimos cornados de la flaca escarcela de los oyentes, el romero comenzó a cantar con voz gangosa y con un aire monótono y plañidero un romance que siempre terminaba con el mismo estribillo.

El conde se acercó al grupo y prestó atención. Por una coincidencia, al parecer extraña, el título de aquella historia respondía en un todo a los lúgubres pensamientos que embargaban su ánimo. Según había anunciado el cantor antes de comenzar, el romance se titulaba el *Romance de la mano muerta.*

Al oír el escudero tan extraño anuncio, pugnó por arrancar a su señor de aquel sitio; pero el conde, con los ojos fijos en el juglar permaneció inmóvil escuchando esta cántiga:

I

La niña tiene un amante
que escudero se decía.
El escudero le anuncia
que a la guerra se partía.
«Te vas y acaso no tornes.»
«Tornaré por vida mía.»
Mientras el amante jura,
diz que el viento repetía:
¡Mal haya quien en promesas de hombre fía!

II

El conde, con la mesnada,
de su castillo salía.
Ella, que le ha conocido,
con grande aflicción gemía:
«¡Ay de mí, que se va el conde
y se lleva la honra mía!»
Mientras la cuitada llora,
diz que el viento repetía:
¡Mal haya quien en promesas de hombre fía!

III

Su hermano, que estaba allí,
estas palabras oía.
«Nos has deshonrado», dice.
«Me juró que tornaría.»
«No te encontrará, si torna,
donde encontrarte solía.»
Mientras la infelice muere,
diz que el viento repetía:
¡Mal haya quien en promesas de hombre fía!

IV

Muerta la llevan al soto;
la han enterrado en la umbría;
por más tierra que le echaban,
la mano no le cubría:
la mano donde un anillo
que le dio el conde tenía.
De noche, sobre la tumba,
diz que el viento repetía:
¡Mal haya quien en promesas de hombre fía!

Apenas el cantor había terminado la última estrofa, cuando rompiendo el muro de curiosos, que se apartaban con respeto al reconocerle, el conde llegó a donde se encontraba el romero y, cogiéndole con fuerza del brazo, le preguntó en voz baja y convulsa:

—¿De qué tierra eres?

—De tierra de Soria —le respondió éste sin alterarse.

—¿Y dónde has aprendido ese romance? ¿A quién se refiere la historia que cuentas? —volvió a exclamar su interlocutor, cada vez con muestras de emoción más profunda.

—Señor —dijo el romero, clavando sus ojos en los del conde con una fijeza imperturbable—, esta cántiga la repiten de unos en otros los aldeanos del campo de Gómara, y se refiere a una desdichada cruelmente ofendida por un poderoso. Altos juicios de Dios han permitido que al enterrarla quedase siempre fuera de la sepultura la mano en que su amante le puso un anillo al hacerla una promesa. Vos sabréis, quizá, a quién toca cumplirla.

V

En un lugarejo miserable y que se encuentra a un lado del camino que conduce a Gómara he visto no hace mucho el sitio en donde se asegura tuvo lugar la extraña ceremonia del casamiento del conde.

Después que éste, arrodillado sobre la humilde fosa, estrechó en la suya la mano de Margarita y un sacerdote autorizado por el Papa bendijo la lúgubre unión, es fama que cesó el prodigio y la *mano muerta* se hundió para siempre.

Al pie de unos árboles añosos y corpulentos hay un pedacito de prado que al llegar la primavera se cubre espontáneamente de flores. La gente del país dice que allí está enterrada Margarita.

LA CORZA BLANCA [8]

I

EN un pequeño lugar de Aragón, y allá por los años de mil trescientos y pico, vivía retirado en su torre señorial un famoso caballero, llamado don Dionís, el cual, después de haber servido a su rey en la guerra contra infieles, descansaba a la sazón, entregado al alegre ejercicio de la caza, de las rudas fatigas de los combates.

Acontenció una vez a este caballero, hallándose en su favorita diversión, acompañado de su hija, cuya belleza singular y extraordinaria blancura le había granjeado el sobrenombre de la Azucena, que, como se les entrase a más andar el día engolfados en perseguir una res en el monte de su feudo, tuvo que acogerse durante las horas de la siesta a una cañada por donde corría un riachuelo saltando de roca en roca con un ruido manso y agradable.

Haría cosa de unas dos horas que don Dionís se encontraba en aquel delicioso lugar, recostado sobre la menuda grama a la sombra de una chopera, departiendo amigable-

8. Publicada en *La América*, Madrid, 27 de junio de 1863.

mente con sus monteros sobre las peripecias del día y refiriéndose unos a otros las aventuras más o menos curiosas que en su vida de cazador les había acontecido, cuando por lo alto de la más empinada ladera, y a través de los alternados murmullos del viento, que agitaba las hojas de los árboles, comenzó a percibirse, cada vez más cerca, el sonido de una esquililla semejante a la del guión de un rebaño.

En efecto, era así, pues a poco de haberse oído la esquililla empezaron a saltar por entre las apiñadas matas de cantueso y tomillo y a descender a la orilla opuesta del riachuelo, hasta unos cien corderos blancos como la nieve, detrás de los cuales, con su caperuza calada para libertarse la cabeza de los perpendiculares rayos del sol, y su hatillo al hombro en la punta de un palo, apareció el zagal que los conducía.

—A propósito de aventuras extraordinarias —exclamó al verlo uno de los monteros de don Dionís, dirigiéndose a su señor—, ahí tenéis a Esteban, el zagal, que de algún tiempo a esta parte anda más tonto de lo que naturalmente lo hizo Dios, que no es poco, y el cual puede haceros pasar un rato divertido refiriendo la causa de sus continuos sustos.

—Pues ¿qué le acontece a ese pobre diablo? —exclamó don Dionís con aire de curiosidad picada.

—¡Friolera! —añadió el montero en tono de zumba—. ¡Que sin haber nacido en Viernes Santo, ni estar señalado con la cruz, ni hallarse en relaciones con el demonio, a lo que se puede colegir de sus hábitos de cristiano viejo, se encuentra, sin saber cómo ni por dónde, dotado de la facultad más maravillosa que ha poseído hombre alguno, a no ser Salomón, de quien se dice que sabía hasta el lenguaje de los pájaros!

—¿Y a qué se refiere esa facultad maravillosa?

—Se refiere —prosiguió el montero— a que, según él afirma, y lo jura y perjura por todo lo más sagrado del mundo, los ciervos que discurren por estos montes se han dado de ojo para no dejarlo en paz, siendo lo más gracioso del caso que en más de una ocasión les ha sorprendido concertando entre sí las burlas que han de hacerle, y después que estas burlas se han llevado a término ha oído las ruidosas carcajadas con que las celebran.

Mientras esto decía el montero, Constanza, que así se lla-

maba la hermosa hija de don Dionís, se había aproximado al grupo de los cazadores, y como demostrase su curiosidad por conocer la extraordinaria historia de Esteban, uno de éstos se adelantó hasta el sitio en donde el zagal daba de beber a su ganado y le condujo a presencia de su señor que, para disipar la turbación y el visible encogimiento del pobre mozo, se apresuró a saludarle por su nombre, acompañando el saludo con una bondadosa sonrisa.

Era Esteban un muchacho de diecinueve a veinte años, fornido, con la cabeza pequeña y hundida entre los hombros, los ojos pequeños y azules, la mirada incierta y torpe, como la de los albinos; la nariz roma, los labios gruesos y entreabiertos, la frente calzada, la tez blanca, pero ennegrecida por el sol, y el cabello, que le caía parte sobre los ojos y parte alrededor de la cara en guedejas ásperas y rojas, semejante a las crines de un rocín colorado.

Esto, sobre poco más o menos, era Esteban en cuanto al físico. Respecto a su moral, podía asegurarse, sin temor de ser desmentido ni por él ni por ninguna de las personas que le conocían, que era perfectamente simple, aunque un tanto suspicaz y malicioso, como buen rústico.

Una vez el zagal repuesto de su turbación, le dirigió de nuevo la palabra don Dionís, y con el tono más serio del mundo, y fingiendo un extraordinario interés por conocer los detalles del suceso a que su montero se había referido, le hizo una multitud de preguntas, a las que Esteban comenzó a contestar de una manera evasiva, como deseando evitar explicaciones sobre el asunto.

Estrechado, sin embargo, por las interrogaciones de su señor y por los ruegos de Constanza, que parecía la más curiosa e interesada en que el pastor refiriese sus estupendas aventuras, decidióse éste a hablar, mas no sin que antes dirigiese a su alrededor una mirada de desconfianza, como temiendo ser oído por otras personas que las que allí estaban presentes, y de rascarse tres o cuatro veces la cabeza tratando de reunir sus recuerdos o hilvanar su discurso, que al fin comenzó de esta manera:

—Es el caso, señor, que, según me dijo un preste de Tarazona, al que acudí no ha mucho para consultar mis dudas, con el diablo no sirven juegos, sino punto en boca, buenas y muchas oraciones a San Bartolomé, que es quien le conoce las cosquillas, y dejarle andar, que Dios, que es

justo y está allá arriba, proveerá a todo. Firme en esta idea, había decidido no volver a decir palabra sobre el asunto a nadie ni por nada; pero lo haré hoy por satisfacer vuestra curiosidad, y a fe, a fe que, después de todo, si el diablo me lo toma en cuenta y torna a molestarme en castigo de mi indiscreción, buenos evangelios llevo cosidos en la pellica, y con su ayuda creo que, como otras veces, no me será inútil el garrote.

—Pero, vamos —exclamó don Dionís, impaciente al escuchar las digresiones del zagal, que amenazaban no concluir nunca—, déjate de rodeos y ve derecho al asunto.

—A él voy —contestó con calma Esteban, que después de dar una gran voz, acompañada de un silbido, para que se agruparan los corderos, que no perdía de vista y comenzaban a desparramarse por el monte, tornó a rascarse la cabeza y prosiguió así—: Por una parte vuestras continuas excursiones, y por otra el dale que le das de los cazadores furtivos que, ya con trampa o con ballesta, no dejan res a vida en veinte jornadas al contorno, habían no hace mucho agotado la caza en estos montes, hasta el extremo de no encontrarse un venado en ellos ni por un ojo de la cara. Hablaba yo de esto mismo en el lugar, sentado en el porche de la iglesia, donde después de acabada la misa del domingo solía reunirme con algunos peones de los que labran la tierra de Veratón, cuando algunos de ellos me dijeron: «Pues, hombre, no sé en qué consista el que tú no los topes, pues de nosotros podemos asegurarte que no bajamos una vez a las hazas que no nos encontremos rastro; y hace tres o cuatro días, sin ir más lejos, una manada, que a juzgar por las huellas debía componerse de más de veinte, le segaron antes de tiempo una pieza de trigo al santero de la Virgen del Romeral.» «¿Y hacia qué sitio seguía el rastro?», pregunté a los peones, con ánimo de ver si topaba con la tropa. «Hacia la cañada de los cantuesos», me contestaron. No eché en saco roto la advertencia, y aquella noche misma fui a apostarme entre los chopos. Durante toda la noche estuve oyendo por acá y por allá, tan pronto lejos como cerca, el bramido de los ciervos, que se llamaban unos a otros, y de vez en cuando sentía moverse el ramaje a mis espaldas; pero por más que me hice todo ojos, la verdad es que no pude distinguir a ninguno. No obstante, al romper el día, cuando llevé los corderos al agua a la orilla de

este río, como obra de dos tiros de honda del sitio en que nos hallamos, y en una umbría de chopos, donde ni a la hora de siesta se desliza un rayo de sol, encontré huellas recientes de los ciervos, algunas ramas desgajadas, la corriente un poco turbia y, lo que es más particular, entre el rastro de las reses, las breves huellas de unos pies pequeñitos como la mitad de la palma de mi mano, sin ponderación alguna.

Al decir esto, el mozo, instintivamente, y al parecer buscando un punto de comparación, dirigió la vista hacia el pie de Constanza, que asomaba por debajo del brial, calzado de un precioso chapín de tafilete amarillo; pero como, al par de Esteban, bajasen también los ojos don Dionís y algunos de los monteros que le rodeaban, la hermosa niña se apresuró a esconderlo, exclamando con el tono más natural del mundo:

—¡Oh, no! Por desgracia, no los tengo yo tan pequeñitos, pues de ese tamaño sólo se encuentran en las hadas cuya historia nos refieren los trovadores.

—Pues no paró aquí la cosa —continuó el zagal cuando Constanza hubo concluido—, sino que otra vez, habiéndome colocado en otro escondite por donde indudablemente habían de pasar los ciervos para dirigirse a la cañada, allá al filo de la medianoche me rindió un poco el sueño, aunque no tanto que no abriese los ojos en el mismo punto en que creí percibir que las ramas se movían a mi alrededor. Abrí los ojos, según dejo dicho; me incorporé con sumo cuidado y, poniendo atención a aquel confuso murmullo, que cada vez sonaba más próximo, oí en las ráfagas del aire como gritos y cantares extraños, carcajadas y tres o cuatro voces distintas que hablaban entre sí, con un ruido y una algarabía semejante al de las muchachas del lugar cuando, riendo y bromeando por el camino, vuelven en bandadas de la fuente con sus cántaros en la cabeza. Según colegía de la proximidad de las voces y del cercano chasquido de las ramas que crujían al romperse para dar paso a aquella turba de locuelas, iban a salir de la espesura a un pequeño rellano que formaba el monte en el sitio donde yo estaba oculto, cuando, enteramente a mis espaldas, tan cerca o más que me encuentro de vosotros, oí una nueva voz fresca, delgada y vibrante, que dijo (creedlo, señores, esto es tan seguro como que me he de

morir) dijo..., claro y distintamente, estas propias palabras:

¡Por aquí, por aquí, compañeras,
que está ahí el bruto de Esteban!

Al llegar a este punto de la relación del zagal, los circunstantes no pudieron ya contener por más tiempo la risa, que hacía largo rato les retozaba en los ojos, y dando rienda a su buen humor, prorrumpieron en una carcajada estrepitosa. De los primeros en comenzar a reír y de los últimos en dejarlo fueron don Dionís que, a pesar de su fingida circunspección, no pudo por menos de tomar parte en el general regocijo, y su hija Constanza, la cual, cada vez que miraba a Esteban, todo suspenso y confuso, tornaba a reírse como una loca, hasta el punto de saltarle las lágrimas a los ojos.

El zagal, por su parte, aunque sin atender al efecto que su narración había producido, parecía todo turbado e inquieto, y mientras los señores reían a sabor de sus inocentadas él tornaba la vista a un lado y a otro con visibles muestras de temor y como queriendo descubrir algo a través de los cruzados troncos de los árboles.

—¿Qué es eso, Esteban? ¿Qué te sucede? —le preguntó uno de los monteros, notando la creciente inquietud del pobre mozo, que ya fijaba sus espantadas pupilas en la hija risueña de don Dionís, ya las volvía a su alrededor con una expresión asombrada y estúpida.

—Me sucede una cosa muy extraña —exclamó Esteban—. Cuando, después de escuchar las palabras que dejo referidas, me incorporé con prontitud para sorprender a la persona que las había pronunciado, una corza blanca como la nieve salió de entre las mismas matas en donde yo estaba oculto y, dando unos saltos enormes por cima de los carracales y los lentiscos, se alejó, seguida de una tropa de corzas de su color natural, y así éstas como la blanca que las iba guiando no arrojaban bramidos al huir, sino que se reían con unas carcajadas cuyo eco juraría que aún me está sonando en los oídos en este momento.

—¡Bah, bah! Esteban —exclamó don Dionís con aire burlón—, sigue los consejos del preste de Tarazona. No hables de tus encuentros con los corzos amigos de burlas, no sea

que haga el diablo que al fin pierdas el poco juicio que tienes, y pues ya estás provisto de los evangelios y sabes las oraciones de San Bartolomé, vuélvete a tus corderos, que comienzan a desbandarse por la cañada. Si los espíritus malignos tornan a incomodarte, ya sabes el remedio: *paternoster* y garrotazo.

El zagal, después de guardarse en el zurrón un medio pan blanco y un trozo de carne de jabalí y en el estómago un valiente trago de vino que le dio por orden de su señor uno de los palafreneros, despidióse de don Dionís y su hija, y apenas anduvo cuatro pasos comenzó a voltear la honda para reunir a pedradas los corderos.

Como a esta sazón notase don Dionís que entre unas y otras las horas del calor eran ya pasadas y el vientecillo de la tarde comenzaba a mover las hojas de los chopos y a refrescar los campos, dio orden a su comitiva para que aderezasen las caballerías, que andaban paciendo sueltas por el inmediato soto, y cuando todo estaba a punto hizo seña a los unos para que soltasen las traíllas y a los otros para que tocasen las trompetas, y saliendo en tropel de la chopera prosiguió adelante la interrumpida caza.

II

Entre los monteros de don Dionís había uno llamado Garcés, hijo de un antiguo servidor de la familia y, por tanto, el más querido de sus señores.

Garcés tenía, poco más o menos, la edad de Constanza, y desde muy niño habíase acostumbrado a prevenir el menor de sus deseos y adivinar y satisfacer el más leve de sus antojos.

Por su mano se entretenía en afilar en los ratos de ocio las agudas saetas de su ballesta de marfil. Él domaba los potros que había de montar su señora, él ejercitaba en los ardides de la caza a sus lebreles favoritos y amaestraba a sus halcones, a los cuales compraba en las ferias de Castilla capcruzas rojas bordadas de oro.

Para con los otros monteros, los pajes y la gente menuda del servicio de don Dionís, la exquisita solicitud de Garcés y el aprecio con que sus señores le distinguían habíanle valido una especie de general animadversión, y al decir de

los envidiosos, en todos aquellos cuidados con que se adelantaba a prevenir los caprichos de su señora revelábase su carácter adulador y rastrero. No faltaban, sin embargo, algunos que, más avisados o maliciosos, creyeron sorprender en la asiduidad del solícito mancebo algunas señales de mal disimulado amor.

Si en efecto era así, el oculto cariño de Garcés tenía más que sobrada disculpa en la incomparable hermosura de Constanza. Hubiérase necesitado un pecho de roca y un corazón de hielo para permanecer impasible un día y otro al lado de aquella mujer singular por su belleza y sus raros atractivos.

La *Azucena del Moncayo* llamábanla en veinte leguas a la redonda, y bien merecía este sobrenombre, porque era tan airosa, tan blanca y tan rubia que, como a las azucenas, parecía que Dios la había hecho de nieve y de oro.

Y, sin embargo, entre los señores comarcanos murmurábase que la hermosa castellana de Veratón no era tan limpia de sangre como bella y que, a pesar de sus trenzas rubias y su tez de alabastro, había tenido por madre una gitana. Lo de cierto que pudiera haber en estas murmuraciones nadie pudo nunca decirlo, porque la verdad era que don Dionís tuvo una vida bastante azarosa en su juventud, y después de combatir largo tiempo bajo la conducta del monarca aragonés, del cual recabó, entre otras mercedes, el feudo del Moncayo, marchóse a Palestina, en donde anduvo errante algunos años, para volver por último a encerrarse en su castillo de Veratón con una hija pequeña, nacida, sin duda, en aquellos países remotos. El único que hubiera podido decir algo acerca del misterioso origen de Constanza, pues acompañó a don Dionís en sus lejanas peregrinaciones, era el padre de Garcés, y éste había ya muerto hacía bastante tiempo, sin decir una sola palabra sobre el asunto ni a su propio hijo, que varias veces y con muestras de grande interés se lo había preguntado.

El carácter, tan pronto retraído y melancólico como bullicioso y alegre, de Constanza; la extraña exaltación de sus ideas, sus extravagantes caprichos, sus nunca vistas costumbres, hasta la particularidad de tener los ojos y las cejas negros como la noche, siendo blanca y rubia como el oro, habían contribuido a dar pábulo a las hablillas de sus convecinos, y aun el mismo Garcés, que tan íntima-

mente la trataba, había llegado a persuadirse que su señora
era algo especial y aparte de las demás mujeres.

Presente a la relación de Esteban, como los otros mon-
teros, Garcés fue acaso el único que oyó con verdadera
curiosidad los pormenores de su increíble aventura, y si
bien no pudo menos de sonreír cuando el zagal repitió las
palabras de la corza blanca, desde que abandonó el soto
en que habían sesteado comenzó a revolver en su mente
las más absurdas imaginaciones.

«No cabe duda que todo eso del hablar las corzas es
pura aprensión de Esteban, que es un completo mentecato
— decía entre sí el joven montero mientras que, jinete en
un poderoso alazán, seguía paso a paso el palafrén de
Constanza, la cual también parecía mostrarse un tanto dis-
traída y silenciosa y, retirada del tropel de los cazadores,
apenas tomaba parte en la fiesta—. Pero ¿quién dice que
en lo que refiere ese simple no existirá algo de verdad?
—prosiguió pensando el mancebo—. Cosas más extrañas
hemos visto en el mundo, y una corza blanca bien puede
haberla, puesto que si se ha de dar crédito a las cántigas
del país, San Huberto, patrón de los cazadores, tenía una.
¡Oh, si yo pudiese coger viva una corza blanca para ofre-
cérsela a mi señora!»

Así pensando y discurriendo pasó Garcés la tarde, y cuan-
do ya el sol comenzó a esconderse por detrás de las veci-
nas lomas y don Dionís mandó volver grupas a su gente
para tornar al castillo, separóse sin ser notado de la comi-
tiva y echó en busca del zagal por lo más espeso e intrin-
cado del monte.

La noche había cerrado casi por completo cuando don
Dionís llegaba a las puertas de su castillo. Acto continuo
dispusiéronle una frugal colación y sentóse con su hija a
la mesa.

—Y Garcés, ¿dónde está? —preguntó Constanza, notando
que su montero no se encontraba allí para servirla, como
tenía de costumbre.

—No sabemos —se apresuraron a contestar los otros
servidores—. Desapareció de entre nosotros cerca de la
cañada, y ésta es la hora en que todavía no le hemos visto.

En este punto llegó Garcés todo sofocado, cubierto aún
de sudor la frente pero con la cara más regocijada y satis-
fecha que pudiera imaginarse.

—Perdonadme, señora —exclamó, dirigiéndose a Constanza—; perdonadme si he faltado un momento a mi obligación; pero allá de donde vengo a todo el correr de mi caballo, como aquí, sólo me ocupaba en serviros.

—¿En servirme? —repitió Constanza—. No comprendo lo que quieres decir.

—Sí, señora; en serviros —insistió el joven—; pues he averiguado que es verdad que la corza blanca existe. A más de Esteban, lo dan por seguro otros varios pastores, que juran haberla visto más de una vez, y con ayuda de los cuales espero en Dios y en mi patrón, San Huberto, que antes de tres días, viva o muerta, os la traeré al castillo.

—¡Bah, bah! —exclamó Constanza con aire de zumba mientras hacían coro a sus palabras las risas más o menos disimuladas de los circunstantes—. Déjate de cacerías nocturnas y de corzas blancas. Mira que el diablo ha dado en la flor de tentar a los simples, y si te empeñas en andarle a los talones, va a dar que reír contigo como con el pobre Esteban.

—Señora —interrumpió Garcés con voz entrecortada y disimulando en lo posible la cólera que le producía el burlón regocijo de sus compañeros—, yo no me he visto nunca con el diablo; y por consiguiente, no sé todavía cómo las gasta; pero conmigo os juro que todo podrá hacer menos dar que reír, porque el uso de ese privilegio sólo en vos sé tolerarlo.

Constanza conoció el efecto que su burla había producido en el enamorado joven; pero deseando apurar su paciencia hasta lo último, tornó a decir en el mismo tono:

—¿Y si al dispararle te saluda con alguna rima del género de la que oyó Esteban o se te ríe en la nariz, y al escuchar sus sobrenaturales carcajadas se te cae la ballesta de las manos y antes de reponerte del susto ya ha desaparecido la corza blanca más ligera que un relámpago?

—¡Oh! —exclamó Garcés—. En cuanto a eso, estad segura que como yo la topase a tiro de ballesta, aunque me hiciese más momos que un juglar, aunque me hablara, no ya en romance, sino en latín, como el abad de Munilla, no se iba sin un arpón en el cuerpo.

En este punto del diálogo, terció en él don Dionís, y con una desesperante gravedad, a través de la que se adivinaba toda la ironía de sus palabras, comenzó a darle

al ya asendereado mozo los consejos más originales del mundo para el caso de que se encontrase de manos a boca con el demonio convertido en corza blanca. A cada nueva ocurrencia de su padre, Constanza fijaba sus ojos en el atribulado Garcés y rompía a reír como una loca, en tanto que los otros servidores esforzaban las burlas con sus miradas de inteligencia y su mal encubierto gozo.

Mientras duró la colación, prolongóse esta escena, en que la credulidad del joven montero fue, por decirlo así, el tema obligado del general regocijo. De modo que cuando se levantaron los paños y don Dionís y Constanza se retiraron a sus habitaciones y toda la gente del castillo se entregó al reposo, Garcés permaneció un largo espacio de tiempo irresoluto, dudando si, a pesar de las burlas de sus señores, proseguiría firme en su propósito o desistiría completamente de la empresa.

—¡Qué diantre! —exclamó, saliendo del estado de incertidumbre en que se encontraba—. Mayor mal del que me ha sucedido no puede sucederme y si, por el contrario, es verdad lo que nos ha contado Esteban... ¡Oh, entonces cómo he de saborear mi triunfo!

Esto diciendo, armó su ballesta, no sin haberla hecho antes la señal de la cruz en la punta de la vira, y colocándosela en la espalda se dirigió a la poterna del castillo para tomar la vereda del monte.

Cuando Garcés llegó a la cañada y al punto en que según las instrucciones de Esteban, debía aguardar la aparición de las corzas, la luna comenzaba a remontarse con lentitud por detrás de los cercanos montes.

A fuer de buen cazador y práctico en el oficio, antes de elegir un puesto a propósito para colocarse al acecho de las reses, anduvo un gran rato de acá para allá examinando las trochas y las veredas vecinas, la disposición de los árboles, los accidentes del terreno, las curvas del río y la profundidad de sus aguas.

Por último, después de terminado este minucioso reconocimiento del lugar en que se encontraba, agazapóse en un ribazo junto a unos chopos de copas elevadas y oscuras, a cuyo pie crecían unas matas de lentisco, altas lo bastante para ocultar a un hombre echado en tierra.

El río, que desde las musgosas rocas donde tenía su nacimiento venía, siguiendo las sinuosidades del Moncayo,

a entrar en la cañada por una vertiente, deslizábase desde allí bañando el pie de los sauces que sombreaban su orilla o jugueteando con alegre murmullo entre las piedras rodadas del monte, hasta caer en una hondura próxima al lugar que servía de escondrijo al montero.

Los álamos, cuyas plateadas hojas movía el aire con un rumor dulcísimo; los sauces, que, inclinados sobre la limpia corriente, humedecían en ella las puntas de sus desmayadas ramas, y los apretados carrascales, por cuyos troncos subían y se enredaban las madreselvas y las campanillas azules, formaban un espeso muro de follaje alrededor del remanso del río.

El viento, agitando los frondosos pabellones de verdura que derramaban en torno su flotante sombra, dejaba penetrar a intervalos un furtivo rayo de luz, que brillaba como un relámpago de plata sobre la superficie de las aguas inmóviles y profundas.

Oculto tras los matojos, con el oído atento al más leve rumor y la vista clavada en el punto en donde, según sus cálculos, debían aparecer las corzas, Garcés esperó inútilmente un gran espacio de tiempo. Todo permanecía a su alrededor sumido en una profunda calma.

Poco a poco, y bien fuese que el peso de la noche, que ya había pasado de la mitad, comenzara a dejarse sentir; bien que el lejano murmullo del agua, el penetrante aroma de las flores silvestres y las caricias del viento comunicasen a sus sentidos el dulce sopor en que parecía estar impregnada la naturaleza toda, el enamorado mozo, que hasta aquel punto había estado entretenido revolviendo en su mente las más halagüeñas imaginaciones, comenzó a sentir que sus ideas se elaboraban con más lentitud y sus pensamientos tomaban formas más leves e indecisas.

Después de mecerse un instante en ese vago espacio que media entre la vigilia y el sueño, entornó al fin los ojos, dejó escapar la ballesta de sus manos y se quedó profundamente dormido...

..

Cosa de dos horas o tres haría ya que el joven montero roncaba a pierna suelta, disfrutando a todo sabor de uno de los sueños más apacibles de su vida, cuando de repente en-

treabrió los ojos sobresaltado e incorporóse a medias, lleno
aún de ese estupor del que vuelve en sí de improviso des-
pués de un sueño profundo.

En las ráfagas del aire, y confundido con los leves rumo-
res de la noche, creyó percibir un extraño rumor de voces
delgadas, dulces y misteriosas que hablaban entre sí, reían
o cantaban cada cual por su parte y una cosa diferente, for-
mando una algarabía tan ruidosa y confusa como la de los
pájaros que despiertan al primer rayo del sol entre las fron-
das de una alameda.

Este extraño rumor sólo se dejó oír un instante y después
todo volvió a quedar en silencio.

—Sin duda soñaba con las majaderías que nos refirió el
zagal —exclamó Garcés, restregándose los ojos con mucha
calma y en la firme persuasión de que cuanto había creído
oír no era más que esa vaga huella del ensueño que queda,
al despertar, en la imaginación, como queda en el oído la
última cadencia de una melodía después que ha expirado
temblando la última nota. Y dominado por la invencible lan-
guidez que embargaba sus miembros, iba a reclinar de nue-
vo la cabeza sobre el césped cuando tornó a oír el eco dis-
tante de aquellas misteriosas voces, que, acompañándose del
rumor del aire, del agua y de las hojas, cantaban así:

CORO

*El arquero que velaba en lo alto de la torre ha reclinado
su pesada cabeza en el muro.*

*Al cazador furtivo que esperaba sorprender la res lo ha
sorprendido el sueño.*

*El pastor que aguarda el día consultando las estrellas
duerme ahora, y dormirá hasta el amanecer.*

Reina de las ondinas, sigue nuestros pasos.

*Ven a mecerte en las ramas de los sauces, sobre el haz
del agua.*

*Ven a embriagarte con el perfume de las violetas que se
abren entre las sombras.*

Ven a gozar de la noche, que es el día de los espíritus.

Mientras flotaban en el aire las suaves notas de aquella
deliciosa música, Garcés se mantuvo inmóvil. Después que
se hubo desvanecido, con mucha precaución apartó un poco

las ramas, y no sin experimentar algún sobresalto, vio aparecer las corzas, que en tropel y salvando los matorrales con ligereza increíble unas veces, deteniéndose como a escuchar otras, jugueteando entre sí, ya escondiéndose entre la espesura, ya saliendo nuevamente a la senda, bajaban del monte con dirección al remanso del río.

Delante de sus compañeras, más ágil, más linda, más juguetona y alegre que todas; saltando, corriendo, parándose y tornando a correr, de modo que parecía no tocar el suelo con los pies, iba la corza blanca, cuyo extraño color destacaba con una fantástica luz sobre el oscuro fondo de los árboles.

Aunque el joven se sentía dispuesto a ver en cuanto le rodeaba algo de sobrenatural y maravilloso, la verdad del caso era que, prescindiendo de la momentánea alucinación que turbó un instante sus sentidos, fingiéndole música, rumores y palabras, ni en la forma de las corzas, ni en sus movimientos, ni en los cortos bramidos con que parecían llamarse había nada que no debiese estar ya muy familiarizado un cazador práctico en esta clase de expediciones nocturnas.

A medida que desechaba la primera impresión, Garcés comenzó a comprenderlo así, y riéndose interiormente de su credulidad y su miedo, desde aquel instante sólo se ocupó en averiguar, teniendo en cuenta la dirección que seguían, el punto donde se hallaban las corzas.

Hecho el cálculo, cogió la ballesta entre los dientes, y arrastrándose como una culebra por detrás de los lentiscos, fue a situarse obra de unos cuarenta pasos más lejos del lugar en que antes se encontraba. Una vez acomodado en su nuevo escondite, esperó el tiempo suficiente para que las corzas estuvieran ya dentro del río, a fin de hacer el tiro más seguro. Apenas comenzó a escucharse ese ruido particular que produce el agua que se bate a golpes o se agita con violencia, Garcés comenzó a levantarse poquito a poco y con las mayores precauciones, apoyándose en la tierra primero sobre la punta de los dedos y después con una de las rodillas.

Ya de pie, y cerciorándose a tientas de que el arma estaba preparada, dio un paso hacia adelante, alargó el cuello por encima de los arbustos, para dominar el remanso, y tendió la ballesta; pero en el mismo punto en que, a par de la ba-

llesta, tendió la vista buscando el objeto que había de herir, se escapó de sus labios un imperceptible e involuntario grito de asombro.

La luna, que había ido remontándose con lentitud por el ancho horizonte, estaba inmóvil y como suspendida en la mitad del cielo; su dulce claridad inundaba el soto, abrillantaba la intranquila superficie del río y hacía ver los objetos como a través de una gasa azul.

Las corzas habían desaparecido.

En su lugar, lleno de estupor y casi de miedo, vio Garcés un grupo de bellísimas mujeres, de las cuales unas entraban en el agua jugueteando, mientras las otras acababan de despojarse de las ligeras túnicas que aún ocultaban a la codiciosa vista el tesoro de sus formas.

En esos ligeros y cortados sueños de la mañana, ricos en imágenes risueñas y voluptuosas, sueños diáfanos y celestes como la luz que entonces comienza a transparentarse a través de las blancas cortinas del lecho, no ha habido nunca imaginación de veinte años que bosquejase con los colores de la fantasía una escena semejante a la que se ofrecía en aquel punto a los ojos del atónito Garcés.

Despojadas ya de sus túnicas y sus velos de mil colores, que destacaban sobre el fondo suspendidas de los árboles o arrojadas con descuido sobre la alfombra de césped, las muchachas discurrían a su placer por el soto, formando grupos pintorescos, y entraban y salían en el agua, haciéndola saltar en chispas luminosas sobre las flores de la margen como una menuda lluvia de rocío.

Aquí una de ellas, blanca como el vellón de un cordero, sacaba su cabeza rubia entre las verdes y flotantes hojas de una planta acuática, de la cual parecía una flor a medio abrir, cuyo flexible tallo más bien se adivinaba que se veía temblar debajo de los infinitos círculos de luz de las ondas.

Otra allá, con el cabello suelto sobre los hombros, mecíase suspendida de la rama de un sauce sobre la corriente de un río, y sus pequeños pies color de rosa hacían una raya de plata al pasar rozando la tersa superficie. En tanto que éstas permanecían recostadas aún al borde del agua, con los azules ojos adormidos, aspirando con voluptuosidad el perfume de las flores y estremeciéndose ligeramente al contacto de la fresca brisa, aquéllas danzaban en vertiginosa ronda, entrelazando caprichosamente sus manos, dejando caer atrás

la cabeza con delicioso abandono e hiriendo el suelo con el pie en alternada cadencia.

Era imposible seguirlas en sus ágiles movimientos, imposible abarcar con una mirada los infinitos detalles del cuadro que formaban, unas corriendo, jugando y persiguiéndose con alegres risas por entre el laberinto de los árboles; otras surcando el agua como un cisne y rompiendo la corriente con el levantado seno; otras, en fin, sumergiéndose en el fondo, donde permanecían largo rato para volver a la superficie, trayendo una de esas flores extrañas que nacen escondidas en el lecho de las aguas profundas.

La mirada del atónito montero vagaba absorta de un lado a otro, sin saber dónde fijarse, hasta que sentado bajo un pabellón de verdura que parecía servirle de dosel, y rodeado de un grupo de mujeres, todas a cuál más bellas, que le ayudaban a despojarse de sus ligerísimas vestiduras, creyó ver el objeto de sus ocultas adoraciones: la hija del noble don Dionís, la incomparable Constanza.

Marchando de sorpresa en sorpresa, el enamorado joven no se atrevía ya a dar crédito ni al testimonio de sus sentidos, y creíase bajo la influencia de un sueño fascinador y engañoso.

No obstante, pugnaba en vano por persuadirse que todo cuanto veía era efecto del desarreglo de su imaginación, porque mientras más la miraba y más despacio, más se convencía de que aquella mujer era Constanza.

No podía caber duda, no; suyos eran aquellos ojos oscuros y sombreados de largas pestañas, que apenas bastaban a amortiguar la luz de sus pupilas; suya aquella rubia y abundante cabellera que, después de coronar su frente, se derramaba por su blanco seno y sus redondas espaldas como una cascada de oro; suyos, en fin, aquel cuello airoso que sostenía su lánguida cabeza, ligeramente inclinada como una flor que se rinde al peso de las gotas de rocío, y aquellas voluptuosas formas que él había soñado tal vez, y aquellas manos semejantes a manojos de jazmines, y aquellos pies diminutos, comparables sólo con dos pedazos de nieve que el sol no ha podido derretir y que a la mañana blanquean entre la verdura.

En el momento en que Constanza salió del bosquecillo, sin velo alguno que ocultase a los ojos de su amante los escondidos tesoros de su hermosura, sus compañeras comenza-

ron nuavemente a cantar estas palabras con una melodía
dulcísima:

CORO

*Genios del aire, habitadores del luminoso éter, venid en-
vueltos en un jirón de niebla plateada.*

*Silfos invisibles, dejad el cáliz de los entreabiertos lirios,
y venid en vuestros carros de nácar, al que vuelan uncidas
las mariposas.*

*Larvas de las fuentes, abandonad el lecho de musgo y caed
sobre nosotras en menuda lluvia de perlas.*

*Escarabajos de esmeralda, luciérnagas de fuego, maripo-
sas negras, ¡venid!*

*Y venid vosotros todos, espíritus de la noche; venid zum-
bando como un enjambre de insectos de luz y de oro.*

*Venid, que ya el astro protector de los misterios brilla en
la plenitud de su hermosura.*

*Venid, que ha llegado el momento de las transformaciones
maravillosas.*

Venid, que las que os aman os esperan impacientes.

Garcés, que permanecía inmóvil, sintió, al oír aquellos
cantares misteriosos, que el áspid de los celos le mordía
el corazón, y obedeciendo a un impulso más poderoso que
su voluntad, deseando romper de una vez el encanto que fas-
cinaba sus sentidos, separó con mano trémula y convulsa el
ramaje que le ocultaba, y de un solo salto se puso en la mar-
gen del río. El encanto se rompió, desvanecióse todo como
el humo, y al tender en torno suyo la vista, no vio ni oyó más
que el bullicioso tropel con que las tímidas corzas, sorpren-
didas en lo mejor de sus nocturnos juegos, huían espanta-
das de su presencia, una por aquí, otra por allá, cuál sal-
vando de un salto los matorrales, cuál ganando a todo co-
rrer la trocha del monte.

—¡Oh! Bien dije yo que todas estas cosas no eran más que fantasmagorías del diablo —exclamó entonces el montero—; pero, por fortuna, esta vez ha andado un poco torpe, dejándome entre las manos la mejor presa.

Y, en efecto, era así: la corza blanca, deseando escapar por el soto, se había lanzado entre el laberinto de sus árboles, y enredándose en una red de madreselvas, pugnaba en vano por desasirse. Garcés le encaró la ballesta; pero en el mismo punto en que iba a herirla, la corza se volvió hacia el montero y con voz clara y aguda detuvo su acción con un grito, diciéndole:

—Garcés, ¿qué haces?

El joven vaciló, y después de un instante de duda, dejó caer al suelo el arma, espantado a la sola idea de haber podido herir a su amante. Una sonora y estridente carcajada vino a sacarle al fin de su estupor. La corza blanca había aprovechado aquellos cortos instantes para acabarse de desenredar y huir ligera como un relámpago, riéndose de la burla hecha al montero.

—¡Ah, condenado engendro de Satanás! —dijo éste con voz espantosa, recogiendo la ballesta con una rapidez indecible—. ¡Pronto has cantado la victoria! ¡Pronto te has creído fuera de mi alcance!

Y esto diciendo, dejó volar la saeta, que partió silbando, y fue a perderse en la oscuridad del soto en el fondo del cual sonó al mismo tiempo un grito, al que siguieron después unos gemidos sofocados.

—¡Dios mío! —exclamó Garcés al percibir aquellos lamentos angustiosos—. ¡Dios mío, si será verdad!

Y fuera de sí, como loco, sin darse cuenta apenas de lo que le pasaba, corrió en la dirección en que había disparado la saeta, que era la misma en que sonaban los gemidos. Llegó al fin; pero, al llegar, sus cabellos se erizaron de horror, las palabras se anudaron en su garganta y tuvo que agarrarse al tronco de un árbol para no caer a tierra.

Constanza, herida por su mano, expiraba allí a su vista, revolcándose en su propia sangre, entre las agudas zarzas del monte.

EL BESO [9]

(LEYENDA TOLEDANA)

I

Cuando una parte del ejército francés se apoderó a principios de este siglo de la histórica Toledo, sus jefes, que no ignoraban el peligro a que se exponían en las poblaciones españolas diseminándose en alojamientos separados, comenzaron por habilitar para cuarteles los más grandes y mejores edificios de la ciudad.

Después de ocupado el suntuoso Alcázar de Carlos V, echóse mano de la casa de Consejos, y cuando ésta no pudo contener más gente, comenzaron a invadir el asilo de las comunidades religiosas, acabando a la postre por transformar en cuadras hasta las iglesias consagradas al culto. En esta conformidad se encontraban las cosas en la población donde tuvo lugar el suceso que voy a referir, cuando una noche, ya a hora bastante avanzada, envueltos en sus oscuros capotes de guerra y ensordeciendo las estrechas y solitarias calles que conducen desde la Puerta del Sol a Zocodover con el choque de sus armas y el ruidoso golpear de los cascos de sus corceles, que sacaban chispas de los pedernales, entraron en la ciudad hasta unos cien dragones de aquellos altos, arrogantes y fornidos, de que todavía nos hablan con admiración nuestras abuelas.

Mandaba la fuerza un oficial bastante joven, el cual iba como a distancia de unos treinta pasos de su gente, hablando a media voz con otro, también militar, a lo que podía colegirse por su traje.

Éste, que caminaba a pie delante de su interlocutor, llevando en la mano un farolillo, parecía servirle de guía por entre aquel laberinto de calles oscuras, enmarañadas y revueltas.

—En verdad —decía el jinete a su acompañante— que si el alojamiento que se nos prepara es tal y como me le pin-

9. Publicada en *La América*, Madrid, 27 de agosto de 1863.

tas, casi, casi sería preferible arrancharnos en el campo o en medio de una plaza.

—¿Y qué queréis, mi capitán? —contestó el guía, que, efectivamente, era un sargento aposentador—. En el Alcázar no cabe ya un grano de trigo, cuanto más un hombre. De San Juan de los Reyes no digamos, porque hay celdas de fraile en las que duermen quince húsares. El convento adonde voy a conduciros no era mal local; pero hará cosa de tres o cuatro días nos cayó aquí como de las nubes una de las columnas volantes que recorren la provincia, y gracias que hemos podido conseguir que se amontonen por los claustros y dejen libre la iglesia.

—En fin —exclamó el oficial después de un corto silencio y como resignándose con el extraño alojamiento que la casualidad le deparaba—, más vale incómodo que ninguno. De todas maneras, si llueve, que no será difícil según se agrupan las nubes, estaremos a cubierto, y algo es algo.

Interrumpida la conversación en este punto, los jinetes, precedidos del guía, siguieron en silencio el camino adelante hasta llegar a una plazuela, en cuyo fondo se destacaba la negra silueta del convento con su torre morisca, su campanario de espadañas, su cúpula ojival y sus tejados de crestas desiguales y oscuras.

—He aquí vuestro alojamiento —exclamó el aposentador al divisarle y dirigiéndose al capitán que, después que hubo mandado hacer alto a su tropa, echó pie a tierra, tomó el farolillo de manos del guía y se dirigió hacia el punto que éste le señalaba.

Como quiera que la iglesia del convento estaba completamente desmantelada, los soldados que ocupaban el resto del edificio habían creído que las puertas le eran ya poco menos que inútiles, y un tablero hoy, otro mañana, habían ido arrancándolas pedazo a pedazo para hacer hogueras con que calentarse por las noches.

Nuestro joven oficial no tuvo, pues, que torcer llaves ni descorrer cerrojos para penetrar en el interior del templo. A la luz del farolillo, cuya dudosa claridad se perdía entre las espesas sombras de las naves y dibujaba con gigantescas proporciones sobre el muro la fantástica silueta del sargento aposentador, que iba precediéndole, recorrió la iglesia de arriba a abajo y escudriñó una por una todas sus desiertas capillas, hasta que, una vez hecho cargo del local,

mandó echar pie a tierra a su gente y, hombres y caballos revueltos, fue acomodándola como mejor pudo.

Según dejamos dicho, la iglesia estaba completamente desmantelada: en el altar mayor pendían aún de las altas cornisas los rotos jirones del velo con que lo habían cubierto los religiosos al abandonar aquel recinto; diseminados por las naves veíanse algunos retablos adosados al muro, sin imágenes en las hornacinas; en el coro se dibujaban con un ribete de luz los extraños perfiles de la oscura sillería de alerce; en el pavimento, destrozado en varios puntos, distinguíanse aún anchas losas sepulcrales llenas de timbres, escudos y largas inscripciones góticas, y allá a lo lejos, en el fondo de las silenciosas capillas y a lo largo del crucero, se destacaban confusamente entre la oscuridad, semejantes a blancos e inmóviles fantasmas, las estatuas de piedra que, unas tendidas, otras de hinojos sobre el mármol de sus tumbas, parecían ser los únicos habitantes del ruinoso edificio.

A cualquiera otro menos molido que el oficial de dragones, el cual traía una jornada de catorce leguas en el cuerpo, o menos acostumbrado a ver estos sacrilegios como la cosa más natural del mundo, hubiéranle bastado dos adarmes de imaginación para no pegar los ojos en toda la noche en aquel oscuro e imponente recinto, donde las blasfemias de los soldados, que se quejaban en voz alta del improvisado cuartel; el metálico golpe de sus espuelas, que resonaban sobre las anchas losas sepulcrales del pavimento; el ruido de los caballos, que piafaban impacientes, cabeceando y haciendo sonar las cadenas con que estaban sujetos a los pilares, formaban un rumor extraño y temeroso que se dilataba por todo el ámbito de la iglesia y se reproducía cada vez más confuso, repetido de eco en eco en sus altas bóvedas.

Pero nuestro héroe, aunque joven, estaba ya tan familiarizado con estas peripecias de la vida de campaña, que apenas hubo acomodado a su gente, mandó colocar un saco de forraje al pie de la grada del presbiterio y, arrebujándose como mejor pudo en su capote y echando la cabeza en el escalón, a los cinco minutos roncaba con más tranquilidad que el mismo rey José en su palacio de Madrid.

Los soldados, haciéndose almohadas de las monturas, imitaron su ejemplo, y poco a poco fue apagándose el murmullo de sus voces.

A la media hora sólo se oían los ahogados gemidos del aire que entraba por las rotas vidrieras de las ojivas del templo, el atolondrado revolotear de las aves nocturnas que tenían sus nidos en el dosel de piedra de las esculturas de los muros y el alternado rumor de los pasos del vigilante que se paseaba, envuelto en los anchos pliegues de su capote, a lo largo del pórtico.

II

En la época a que se remonta la relación de esta historia, tan verídica como extraordinaria, lo mismo que al presente, para los que no sabían apreciar los tesoros del arte que encierran sus muros, la ciudad de Toledo no era más que un poblachón destartalado, antiguo, ruinoso e insufrible.

Los oficiales del ejército francés, que, a juzgar por los actos de vandalismo con que dejaron en ella triste y perdurable memoria de su ocupación, de todo tenían menos de artistas o arqueólogos, no hay para qué decir que se fastidiaban soberanamente en la vetusta ciudad de los Césares.

En esta situación de ánimo, la más insignificante novedad que viniese a romper la monótona quietud de aquellos días eternos e iguales era acogida con avidez entre los ociosos; así es que la promoción al grado inmediato de uno de sus camaradas, la noticia del movimiento estratégico de una columna volante, la salida de un correo de gabinete o la llegada de una fuerza cualquiera a la ciudad convertíase en tema fecundo de conversación y objeto de toda clase de comentarios, hasta tanto que otro incidente venía a sustituirle, sirviendo de base a nuevas quejas, críticas y suposiciones.

Como era de esperar, entre los oficiales que, según tenían de costumbre, acudieron al día siguiente a tomar el sol y a charlar un rato en el Zocodover, no se hizo platillo de otra cosa que de la llegada de los dragones, cuyo jefe dejamos en el anterior capítulo durmiendo a pierna suelta y descansando de las fatigas de su viaje.

Cerca de una hora hacía que la conversación giraba alrededor de este asunto, y ya comenzaba a interpretarse de diversos modos la ausencia del recién venido, a quien uno de los presentes, antiguo compañero suyo de colegio, había

citado para el Zocodover, cuando en una de las bocacalles
de la plaza apareció al fin nuestro bizarro capitán, despojado
de su ancho capotón de guerra, luciendo un gran casco de
metal, con penacho de plumas blancas, una casaca azul tur-
quí con vueltas rojas y un magnífico mandoble con vaina
de acero, que resonaba arrastrándose al compás de sus mar-
ciales pasos y del golpe seco y agudo de sus espuelas de oro.

Apenas le vio su camarada, salió a su encuentro para sa-
ludarle, y con él se adelantaron casi todos los que a la sazón
se encontraban en el corrillo, en quienes había despertado
la curiosidad y la gana de conocerle los pormenores que ya
habían oído referir acerca de su carácter original y extraño.

Después de los estrechos abrazos de costumbre y de las
exclamaciones, plácemes y preguntas de rigor en estas en-
trevistas; después de hablar largo y tendido sobre las nove-
dades que andaban por Madrid, la varia fortuna de la guerra
y los amigotes muertos o ausentes, rodando de uno en otro
asunto, la conversación vino a parar al tema obligado, esto
es, las penalidades del servicio, la falta de distracciones de
la ciudad y el inconveniente de los alojamientos.

Al llegar a este punto, uno de los de la reunión que, por
lo visto, tenía noticia del mal talante con que el joven ofi-
cial se había resignado a acomodar su gente en la abando-
nada iglesia, le dijo con aire de zumba:

—Y a propósito de alojamiento: ¿qué tal se ha pasado
la noche en el que ocupáis?

—Ha habido de todo —contestó el interpelado—, pues si
bien es verdad que no he dormido gran cosa, el origen de
mi vigilia merece la pena de la velada. El insomnio junto
a una mujer bonita no es seguramente el peor de los males.

—¡Una mujer! —repitió su interlocutor, como admirán-
dose de la buena fortuna del recién venido—. Eso es lo que
se llama llegar y besar el santo.

—Será tal vez algún antiguo amor de la corte que le sigue
a Toledo para hacerle más soportable el ostracismo —aña-
dió otro del grupo.

—¡Oh, no! —dijo entonces el capitán—. Nada menos que
eso. Juro, a fe de quien soy, que no la conocía y que nunca
creí hallar tan bella patrona en tan incómodo alojamiento.
Es todo lo que se llama una verdadera aventura.

—¡Contadla! ¡Contadla! —exclamaron en coro los oficia-
les que rodeaban al capitán.

Y como éste se dispusiera a hacerlo así, todos prestaron la mayor atención a sus palabras, mientras él comenzó la historia en estos términos:

—Dormía esta noche pasada como duerme un hombre que trae en el cuerpo trece leguas de camino, cuando he aquí que en lo mejor del sueño me hizo despertar sobresaltado e incorporarme sobre el codo un estruendo horrible, un estruendo tal, que me ensordeció un instante para dejarme después los oídos zumbando cerca de un minuto, como si un moscardón me cantase a la oreja. Como os habréis figurado, la causa de mi susto era el primer golpe que oía de esa endiablada campana gorda, especie de sochantre de bronce, que los canónigos de Toledo han colgado en su catedral con el laudable propósito de matar a disgustos a los necesitados de reposo. Renegando entre dientes de la campana y del campanero que la toca, disponíame, una vez apagado aquel insólito y temeroso rumor, a coger nuevamente el hilo del interrumpido sueño, cuando vino a herir mi imaginación y a ofrecerse ante mis ojos una cosa extraordinaria. A la dudosa luz de la luna que entraba en el templo por el estrecho ajimez del muro de la capilla mayor vi una mujer arrodillada junto al altar.

Los oficiales se miraron entre sí con expresión entre asombrada e incrédula. El capitán, sin atender al efecto que su narración producía, continuó de este modo:

—No podéis figuraros nada semejante a aquella nocturna y fantástica visión que se dibujaba confusamente en la penumbra de la capilla, como esas vírgenes pintadas en los vidrios de colores que habréis visto alguna vez destacarse a lo lejos, blancas y luminosas, sobre el oscuro fondo de las catedrales. Su rostro ovalado, en donde se veía impreso el sello de una leve y espiritual demacración; sus armoniosas facciones, llenas de una suave y melancólica dulzura; su intensa palidez, las purísimas líneas de su contorno esbelto, su ademán reposado y noble, su traje blanco y flotante, me traían a la memoria esas mujeres que yo soñaba cuando casi era un niño. ¡Castas y celestes imágenes, quimérico objeto del vago amor de la adolescencia! Yo me creía juguete de una alucinación y, sin quitarle un punto los ojos, ni aun osaba respirar, temiendo que un soplo desvaneciese el encanto. Ella permanecía inmóvil. Antojábaseme, al verla tan diáfana y luminosa, que no era una criatura terrenal, sino

un espíritu que, revistiendo por un instante la forma humana, había descendido en el rayo de la luna, dejando en el aire y en pos de sí la azulada estela que desde el alto ajimez bajaba verticalmente hasta el pie del opuesto muro, rompiendo la oscura sombra de aquel recinto lóbrego y misterioso.

—Pero... —exclamó interrumpiéndole su camarada de colegio que, comenzando por echar a broma la historia, había concluido interesándose con su relato—. ¿Cómo estaba allí aquella mujer? ¿No la dijiste nada? ¿No te explicó su presencia en aquel sitio?

—No me determiné a hablarla porque estaba seguro que no había de contestarme, ni verme, ni oírme.

—¿Era sorda?

—¿Era ciega?

—¿Era muda? —exclamaron a un tiempo tres o cuatro de los que escuchaban la relación.

—Lo era todo a la vez —exclamó al fin el capitán, después de un momento de pausa—, porque era... de mármol.

Al oír el estupendo desenlace de tan extraña aventura, cuantos había en el corro prorrumpieron en una ruidosa carcajada, mientras uno de ellos dijo al narrador de la peregrina historia, que era el único que permanecía callado y en una grave actitud:

—¡Acabáramos de una vez! Lo que es de ese género tengo yo más de un millar, un verdadero serrallo, en San Juan de los Reyes. Serrallo que desde ahora pongo a vuestra disposición, ya que, a lo que parece, tanto os da de una mujer de carne como de piedra.

—¡Oh, no! —continuó el capitán sin alterarse en lo más mínimo por las carcajadas de sus compañeros—. Estoy seguro que no pueden ser como la mía. La mía es una verdadera dama castellana que, por un milagro de la escultura, parece que no la han enterrado en su sepulcro, sino que aún permanece en cuerpo y alma de hinojos sobre la losa que le cubre, inmóvil, con las manos juntas en ademán suplicante, sumergida en un éxtasis de místico amor.

—De tal modo te explicas, que acabarás por probarnos la verosimilitud de la fábula de Galatea.

—Por mi parte, puedo deciros que siempre la creí una locura; mas desde anoche comienzo a comprender la pasión del escultor griego.

—Dadas las especiales condiciones de tu nueva dama, creo que no tendrás inconveniente en presentarnos a ella. De mí sé decir que ya no vivo hasta ver esa maravilla. Pero... ¿qué diantres te pasa?... Diríase que esquivas la presentación. ¡Ja, ja, ja! Bonito fuera que ya te tuviésemos hasta celoso.

—Celoso —se apresuró a decir el capitán—, celoso... De los hombres, no... Mas ved, sin embargo, hasta dónde llega mi extravagancia. Junto a la imagen de esa mujer, también de mármol, grave y al parecer con vida como ella, hay un guerrero... Su marido, sin duda... Pues bien: lo voy a decir todo, aunque os mofeis de mi necedad... Si no hubiera temido que me tratasen de loco, creo que ya la habría hecho cien veces pedazos.

Una nueva y aún más ruidosa carcajada de los oficiales saludó esta original revelación del estrambótico enamorado de la dama de piedra.

—Nada, nada; es preciso que la veamos —decían los unos.

—Sí, sí; es preciso saber si el objeto corresponde a tan alta pasión —añadían los otros.

—¿Cuándo nos reunimos a echar un trago en la iglesia en que os alojáis? —exclamaron los demás.

—Cuando mejor os parezca. Esta misma noche, si queréis —respondió el joven capitán, recobrando su habitual sonrisa, disipada un instante por aquel relámpago de celos—. A propósito: con los bagajes he traído hasta un par de docenas de botellas de *champagne*; verdadero *champagne*, restos de un regalo hecho a nuestro general de brigada, que, como sabéis, es algo pariente.

—¡Bravo! ¡Bravo! —exclamaron los oficiales a una voz, prorrumpiendo en alegres exclamaciones.

—¡Se beberá vino del país!

—¡Y cantaremos una canción de Ronsard!

—Y hablaremos de mujeres, a propósito de la dama del anfitrión.

—Conque... ¡hasta la noche!

—¡Hasta la noche!

III

Ya hacía largo rato que los pacíficos habitantes de Toledo habían cerrado con llave y cerrojo las pesadas puer-

tas de sus antiguos caserones; la campana gorda de la catedral anunciaba la hora de la queda, y en lo alto del alcázar, convertido en cuartel, se oía el último toque de silencio de los clarines, cuando diez o doce oficiales que poco a poco habían ido reuniéndose en el Zocodover tomaron el camino que conduce desde aquel punto al convento en que se alojaba el capitán, animados más con la esperanza de apurar las prometidas botellas que con el deseo de conocer la maravillosa escultura.

La noche había cerrado sombría y amenazadora. El cielo estaba cubierto de nubes de color de plomo. El aire, que zumbaba encarcelado en las estrechas y retorcidas calles, agitaba la moribunda luz del farolillo de los retablos o hacía girar con un chirrido agudo las veletas de hierro de las torres.

Apenas los oficiales dieron vista a la plaza en que se hallaba situado el alojamiento de su nuevo amigo, éste, que les aguardaba impaciente, salió a encontrarles y, después de cambiar algunas palabras a media voz, todos penetraron juntos en la iglesia, en cuyo lóbrego recinto la escasa claridad de una linterna luchaba trabajosamente con las oscuras y espesísimas sombras.

—¡Por quién soy —exclamó uno de los convidados, tendiendo a su alrededor la vista—, que el local es de los menos a propósito del mundo para una fiesta!

—Efectivamente —dijo otro—. Nos traes a conocer a una dama, y apenas si con mucha dificultad se ven los dedos de la mano.

—Y, sobre todo, hace un frío que no parece sino que estamos en la Siberia —añadió un tercero, arrebujándose en el capote.

—Calma, señores, calma —interrumpió el anfitrión—. Calma, que a todo se proveerá. ¡Eh, muchacho! —prosiguió, dirigiéndose a uno de sus asistentes—, busca por ahí un poco de leña y enciéndenos una buena fogata en la capilla mayor.

El asistente, obedeciendo las órdenes de su capitán, comenzó a descargar golpes en la sillería del coro, y después que hubo reunido una gran cantidad de leña, que fue apilando al pie de las gradas del presbiterio, tomó la linterna y se dispuso a hacer un auto de fe con aquellos fragmentos tallados de riquísimas labores, entre las que se veían, por

aquí, parte de una columnilla salomónica; por allá, la imagen de un santo abad, el torso de una mujer o la disforme cabeza de un grifo asomado entre hojarasca.

A los pocos minutos, una gran claridad que de improviso se derramó por todo el ámbito de la iglesia anunció a los oficiales que había llegado la hora de comenzar el festín.

El capitán, que hacía los honores de su alojamiento con la misma ceremonia que hubiera hecho los de su casa, exclamó, dirigiéndose a los convidados:

—Si gustáis, pasaremos al *buffet*.

Sus camaradas, afectando la mayor gravedad, respondieron a la invitación con un cómico saludo, y se encaminaron a la capilla mayor precedidos del héroe de la fiesta, que al llegar a la escalinata se detuvo un instante y, extendiendo la mano en dirección al sitio que ocupaba la tumba, les dijo con la finura más exquisita:

—Tengo el placer de presentaros a la dama de mis pensamientos. Creo que convendréis conmigo en que no he exagerado su belleza.

Los oficiales volvieron los ojos al punto que les señalaba su amigo, y una exclamación de asombro se escapó involuntariamente de todos los labios.

En el fondo de un arco sepulcral revestido de mármoles negros, arrodillada delante de un reclinatorio, con las manos juntas y la cara vuelta hacia el altar, vieron, en efecto, la imagen de una mujer tan bella, que jamás salió otra igual de manos de un escultor, ni el deseo pudo pintarla en la fantasía más soberanamente hermosa.

—En verdad que es un ángel —exclamó uno de ellos.

—¡Lástima que sea de mármol! —añadió otro.

—No hay duda que, aunque no sea más que la ilusión de hallarse junto a una mujer de este calibre, es lo suficiente para no pegar los ojos en toda la noche.

—¿Y no sabéis quién es ella? —preguntaron algunos de los que contemplaban la estatua al capitán, que sonreía satisfecho de su triunfo.

—Recordando un poco del latín que en mi niñez supe he conseguido a duras penas descifrar la inscripción de la tumba —contestó el interpelado—, y, a lo que he podido colegir, pertenece a un título de Castilla, famoso guerrero que hizo la campaña de Italia con el Gran Capitán. Su nombre lo he olvidado; mas su esposa, que es la que veis, se

llama doña Elvira de Castañeda,[10] y, por mi fe que si la copia se parece al original, debió ser la mujer más notable de su siglo.

Después de estas breves explicaciones, los convidados, que no perdían de vista el principal objeto de la reunión, procedieron a destapar algunas de las botellas, y, sentándose alrededor de la lumbre, empezó a andar el vino a la ronda.

A medida que las libaciones se hacían más numerosas y frecuentes y el vapor del espumoso *champagne* comenzaba a trastornar las cabezas, crecían la animación, el ruido y la algazara de los jóvenes, de los cuales, éstos arrojaban a los monjes de granito adosados a los pilares los cascos de las botellas vacías, y aquéllos cantaban a toda voz canciones báquicas y escandalosas, mientras los de más allá prorrumpían en carcajadas, batían las palmas en señal de aplauso o disputaban entre sí con blasfemias y juramentos.

El capitán bebía en silencio como un desesperado y sin apartar los ojos de la estatua de doña Elvira.

Iluminada por el rojizo resplandor de la hoguera, y a través del confuso velo que la embriaguez había puesto delante de su vista, parecíale que la marmórea imagen se transformaba a veces en una mujer real: parecíale que entreabría los labios como murmurando una oración, que se alzaba su pecho como oprimido y sollozante, que cruzaba las manos con más fuerza, que sus mejillas se coloreaban, en fin, como si se ruborizase ante aquel sacrílego y repugnante espectáculo.

Los oficiales, que advirtieron la taciturna tristeza de su camarada, le sacaron del éxtasis en que se encontraba sumergido y, presentándole una copa, exclamaron en coro:

—¡Vamos, brindad vos, que sois el único que no lo ha hecho en toda la noche!

El joven tomó la copa y, poniéndose de pie y alzándola en alto, dijo encarándose con la estatua del guerrero arrodillado junto a doña Elvira:

10. En la *Historia de los templos de España* el propio Bécquer consigna el nombre del «famoso guerrero» y la fecha de su muerte, en 1444: don Pedro López de Ayala, aposentador mayor de Juan II y alcalde mayor de Toledo. El hacerle participar, en la leyenda, en las campañas del Gran Capitán y vencedor de franceses en Ceriñola (1503) es, pues, pura —y acertada— fantasía poética.

—¡Brindo por el emperador y brindo por la fortuna de sus armas, merced a las cuales hemos podido venir hasta el fondo de Castilla a cortejarle su mujer, en su misma tumba, a un vencedor de Ceriñola!

Los militares acogieron el brindis con una salva de aplausos, y el capitán, balanceándose, dio algunos pasos hacia el sepulcro.

—No... —prosiguió dirigiéndose siempre a la estatua del guerrero— y con esa sonrisa estúpida propia de la embriaguez—, no creas que tengo rencor alguno porque veo en ti un rival. Al contrario, te admiro como a un marido paciente, ejemplo de longanimidad y mansedumbre, y a mi vez quiero también ser generoso. Tú serías bebedor, a fuer de soldado... No se ha de decir que te he dejado morir de sed viéndonos vaciar veinte botellas... ¡Toma!

Y esto diciendo, llevóse la copa a los labios y, después de humedecérselos en el licor que contenía, le arrojó el resto a la cara, prorrumpiendo en una carcajada estrepitosa al ver cómo caía el vino sobre la tumba, goteando de las barbas de piedra del inmóvil guerrero.

—¡Capitán! —exclamó en aquel punto uno de sus camaradas en tono de zumba—. Cuidado con lo que hacéis... Mirad que esas bromas con la gente de piedra suelen costar caras. Acordaos de lo que aconteció a los húsares del quinto en el monasterio de Poblet... Los guerreros del claustro, dicen que pusieron mano una noche a sus espadas de granito y dieron que hacer a los que se entretenían en pintarles bigotes con carbón.

Los jóvenes acogieron con grandes carcajadas esta ocurrencia; pero el capitán, sin hacer caso de sus risas, continuó, siempre fijo en la misma idea:

—¿Creéis que yo le hubiera dado el vino, a no saber que se tragaba al menos el que le cayese en la boca?... ¡Oh, no!... Yo no creo, como vosotros, que esas estatuas son un pedazo de mármol tan inerte hoy como el día en que lo arrancaron de la cantera. Indudablemente, el artista, que es casi un dios, le da a su obra un soplo de vida que no logra hacer que ande y se mueva, pero que le infunde una vida incomprensible y extraña, vida que yo no me explico bien, pero que la siento, sobre todo cuando bebo un poco.

—¡Magnífico! —exclamaron sus camaradas—. Bebe y prosigue.

El oficial bebió y, fijando sus ojos en la imagen de doña Elvira, prosiguió con una exaltación creciente:

—¡Miradla!... ¡Miradla!... ¿No veis esos cambiantes rojos de sus carnes mórbidas y transparentes?... ¿No parece que por debajo de esa ligera epidermis azulada y suave de alabastro circula un fluido de luz color de rosa?... ¿Queréis más vida?... ¿Queréis más realidad?...

—¡Oh, sí, seguramente! —dijo uno de los que le escuchaban—. Quisiéramos que fuese de carne y hueso.

—¡Carne y hueso!... ¡Miseria, podredumbre!... —exclamó el capitán—. Yo he sentido en una orgía arder mis labios y mi cabeza. Yo he sentido este fuego que corre por las venas hirviente como la lava de un volcán, cuyos vapores caliginosos turban y trastornan el cerebro y hacen ver visiones extrañas. Entonces, el beso de esas mujeres materiales me quemaba como un hierro candente, y las apartaba de mí con disgusto, con horror, hasta con asco, porque entonces, como ahora, necesitaba un soplo de brisa del mar para mi frente calurosa, beber hielo y besar nieve... Nieve teñida de suave luz, nieve colorada por un dorado rayo de sol... Una mujer blanca, hermosa y fría, como esa mujer de piedra que parece incitarme con su fantástica hermosura, que parece que oscila al compás de la llama y me provoca entreabriendo sus labios y ofreciéndome un tesoro de amor... ¡Oh, sí! Un beso..., sólo un beso tuyo podrá calmar el ardor que me consume.

—¡Capitán! —exclamaron algunos de los oficiales al verle dirigirse hacia la estatua como fuera de sí, extraviada la vista y con pasos inseguros—. ¿Qué locura vais a hacer? ¡Basta de broma y dejad en paz a los muertos!

El joven ni oyó siquiera las palabras de sus amigos, y, tambaleando y como pudo, llegó a la tumba y aproximóse a la estatua; pero al tenderle los brazos resonó un grito de horror en el templo. Arrojando sangre por ojos, boca y nariz, había caído desplomado y con la cara deshecha al pie del sepulcro.

Los oficiales, mudos y espantados, ni se atrevían a dar un paso para prestarle socorro.

En el momento en que su camarada intentó acercar sus labios ardientes a los de doña Elvira, habían visto al inmóvil guerrero levantar la mano y derribarle con una espantosa bofetada de su guantelete de piedra.

CARTAS DESDE MI CELDA

CARTA PRIMERA

Monasterio de Veruela, 1864

Queridos amigos: Heme aquí transportado de la noche a la mañana a mi escondido valle de Veruela; heme aquí instalado de nuevo en el oscuro rincón del cual salí por un momento para tener el gusto de estrecharos la mano una vez más, fumar un cigarro juntos, charlar un poco y recordar las agradables, aunque inquietas horas de mi antigua vida. Cuando se deja una ciudad por otra, particularmente hoy, que todos los grandes centros de población se parecen, apenas se percibe el aislamiento en que nos encontramos, antojándosenos, al ver la identidad de los edificios, los trajes y las costumbres, que al volver la primera esquina vamos a hallar la casa a que concurríamos, las personas que estimábamos, las gentes a quienes teníamos costumbre de ver y hallar de continuo. En el fondo de este valle, cuya melancólica belleza impresiona profundamente, cuyo eterno silencio agrada y sobrecoge a la vez, diríase por el contrario, que los montes que lo cierran como un valladar inaccesible, me separan por completo del mundo. ¡Tan notable es el contraste de cuanto se ofrece a mis ojos; tan vagos y perdidos quedan al confundirse entre la multitud de nuevas ideas y sensaciones los recuerdos de las cosas más recientes!

Ayer, con vosotros en la tribuna del Congreso, en la redacción, en el Teatro Real, en la Iberia; hoy sonándome aún en el oído la última frase de una discusión ardiente, la última palabra de un artículo de fondo, el postrer acorde de un andante, el confuso rumor de cien conversaciones distintas, sentado a la lumbre de un campestre hogar donde arde un tronco de carrasca que salta y cruje antes de consumirse, saboreo en silencio mi taza de café, único exceso que en

estas soledades me permito, sin que turbe la honda calma
que me rodea otro ruido que el del viento que gime a lo
largo de las desiertas ruinas y el agua que lame los altos
muros del monasterio o corre subterránea atravesando sus
claustros sombríos y medrosos. Una muchacha con su zaga-
lejo corto y naranjado, su corpiño oscuro, su camisa blanca
y cerrada, sobre la que brillan dos gruesos hilos de cuentas
rojas, sus medias azules y sus abarcas atadas con un listón
negro, que sube cruzándose caprichosamente hasta la mitad
de la pierna, va y viene cantando a media voz por la cocina,
atiza la lumbre del hogar, tapa y destapa los pucheros don-
de se condimenta la futura cena, y dispone el agua hirvien-
te, negra y amarga que me mira beber con asombro. A es-
tas alturas y mientras dura el frío, la cocina es el estrado, el
gabinete y el estudio.

Cuando sopla el cierzo, cae la nieve o azota la lluvia los
vidrios del balcón de mi celda, corro a buscar la claridad
rojiza y alegre de la llama, y allí teniendo a mis pies el
perro, que se enrosca junto a la lumbre, viendo brillar en
el oscuro fondo de la cocina las mil chispas de oro con que
se abrillantan las cacerolas y los trastos de la espetera, al
reflejo del fuego, ¡cuántas veces he interrumpido la lectu-
ra de una escena de *La Tempestad*, de Shakespeare, o del
Caín, de Byron, para oír el ruido del agua que hierve a bor-
botones, coronándose de espuma, y levantando con sus pe-
nachos de vapor azul y ligero la tapadera de metal que
golpea los bordes de la vasija! Un mes hace que falto de
aquí, y todo se encuentra lo mismo que antes de marchar-
me. El temeroso respeto de estos criados hacia todo lo que
me pertenece, no puede menos de traerme a la imaginación
las irreverentes limpiezas, los temibles y frecuentes arreglos
de cuarto de mis patronas de Madrid. Sobre aquella tabla,
cubiertos de polvo, pero con las mismas señales y colocados
en el orden que yo los tenía, están aún mis libros y mis pa-
peles. Más allá cuelga de un clavo la cartera de dibujo; en
un rincón veo la escopeta, compañera inseparable de mis
filosóficas excursiones, con la cual he andado mucho, he
pensado bastante, y no he matado casi nada. Después de
apurar mi taza de café, y mientras miro danzar las llamas
violadas, rojas y amarillas a través del humo del cigarro
que se extiende ante mis ojos como una gasa azul, he pen-
sado un poco sobre qué escribiría a ustedes para *El Contem-*

poráneo, ya que me he comprometido a contribuir con una gota de agua, a fin de llenar ese océano sin fondo, ese abismo de cuartillas que se llama periódico, especie de tonel, que como al de las Danaides, siempre se le está echando original y siempre está vacío. Las únicas ideas que me han quedado como flotando en la memoria, y sueltas de la masa general que ha oscurecido y embotado el cansancio del viaje, se refieren a los detalles de éste que carecen en sí de interés, que en otras mil ocasiones he podido estudiar, pero que nunca, como ahora, se han ofrecido a mi imaginación en conjunto, y contrastando entre sí de un modo tan extraordinario y patente.

Los diversos medios de locomoción de que he tenido que servirme para llegar hasta aquí, me han recordado épocas y escenas tan distintas, que algunos ligeros rasgos de lo que de ellas recuerdo, trazados por pluma más avezada que la mía a esta clase de estudios, bastarían a bosquejar un curioso cuadro de costumbres.

Como por todo equipaje no llevaba más que un pequeño saco de noche, después de haberme despedido de ustedes, llegué a la estación del ferrocarril a punto de montar en el tren. Previo un ligero saludo de cabeza dirigido a las pocas personas que de antemano se encontraban en el coche, y que habían de ser mis compañeras de viaje, me acomodé en un rincón esperando el momento de partir, que no debía tardar mucho, a juzgar por la precipitación de los rezagados, el ir y el venir de los guardas de la vía y el incesante golpear de las portezuelas. La locomotora arrojaba ardientes y ruidosos resoplidos, como un caballo de raza, impaciente hasta ver que cae al suelo la cuerda que lo detiene en el hipódromo. De cuando en cuando, una pequeña oscilación hacía crujir las coyunturas de acero del monstruo; por último, sonó la campana, el coche hizo un brusco movimiento de adelante a atrás y de atrás a adelante, y aquella especie de culebra negra y monstruosa partió arrastrándose por el suelo a lo largo de los raíles y arrojando silbidos estridentes que resonaban de una manera particular en el silencio de la noche. La primera sensación que se experimenta al arrancar un tren, es siempre insoportable. Aquel confuso rechinar de ejes, aquel crujir de vidrios estremecidos, aquel fragor de ferretería ambulante igual, aunque en grado máximo, al que produce un simón desvencijado al rodar por una calle mal

empedrada, crispa los nervios, marea y aturde. Verdad que en ese mismo aturdimiento hay algo de la embriaguez de la carrera, algo de lo vertiginoso, que tiene todo lo grande; pero como quiera que, aunque mezclado con algo que place, hay mucho que incomoda, también es cierto que hasta que pasan algunos minutos y la continuación de las impresiones embota la sensibilidad, no se puede decir que se pertenece uno a sí mismo por completo.

Apenas hubimos andado algunos kilómetros, y cuando pude enterarme de lo que había a mi alrededor, empecé a pasar revista a mis compañeros de coche; ellos, por su parte, creo que hacían algo por el estilo, pues con más o menos disimulo todos comenzamos a mirarnos unos a otros de los pies a la cabeza.

Como dije antes, en el coche nos encontrábamos muy pocas personas. En el asiento que hacía frente al en que yo me había colocado, y sentada de modo que los pliegues de su amplia y elegante falda de seda me cubrían casi los pies, iba una joven como de dieciséis a diecisiete años, la cual, a juzgar por la distinción de su fisonomía y ese no sé qué aristocrático que se siente y no puede explicarse, debía pertenecer a una clase elevada. Acompañábala un aya, pues tal me pareció una señora muy atildada y fruncida que ocupaba el asiento inmediato, y que de cuando en cuando le dirigía la palabra en francés para preguntarle cómo se sentía, qué necesitaba, o advertirla de qué manera estaría más cómoda. La edad de aquella señora y el interés que se tomaba por la joven, pudieran hacer creer que era su madre; pero, a pesar de todo, yo notaba en su solicitud algo de afectado y mercenario, que fue el dato que desde luego tuve en cuenta para clasificarla.

Haciendo *vis-a-vis* con el aya francesa, y medio enterrado entre los almohadones de un rincón, como viajero avezado a las noches de ferrocarril, estaba un inglés alto y rubio como casi todos los ingleses, pero más que ninguno grave, afeitado y limpio. Nada más acabado y completo que su traje de *touriste*; nada más curioso que sus mil cachivaches de viaje todos limpios y relucientes; aquí la manta escocesa, sujeta con sus hebillas de acero; allá el paraguas y el bastón con su funda de vaqueta; terciada al hombro la cómo-

da y elegante bolsa de piel de Rusia. Cuando volví los ojos
para mirarle, el inglés, desde todo lo alto de su deslumbra-
dora corbata blanca, paseaba una mirada olímpica sobre no-
sotros, y luego que su pupila verde, dilatada y redonda, se
hubo empapado bien en los objetos, entornó nuevamente
los párpados, de modo que, heridas por la luz que caía de
lo alto, sus pestañas largas y rubias se me antojaban a veces
dos hilos de oro que sujetaban por el cabo una remolacha,
pues no a otra cosa podría compararse su nariz. Formando
contraste con este seco y estirado *gentleman*, que una vez
entornados los ojos y bien acomodado en su rincón, perma-
necía inmóvil como una esfinge de granito en el extremo
opuesto del coche, y ya poniéndose de pie, ya agachándose
para colocar una enorme sombrerera debajo del asiento, o
recostándose alternativamente de un lado y de otro, como
el que siente un dolor agudo y de ningún modo se encuentra
bien, bullía sin cesar un señor de unos cuarenta años, salu-
dable, mofletudo y rechoncho, el cual señor, a lo que pude
colegir, por sus palabras, vivía en un pueblo de los inme-
diatos a Zaragoza, de donde nunca había salido sino a la
capital de su provincia, hasta que con ocasión de ciertos ne-
gocios propios del Ayuntamiento, de que formaba parte,
había estado últimamente en la corte como cosa de un mes.

Todo esto, y mucho más, se lo dijo él solo sin que nadie
se lo preguntara, porque el bueno del hombre era de lo más
expansivo con que he topado en mi vida, mostrando tal
afán por enredar conversación sobre cualquiera cosa, que
no perdonaba coyuntura.

Primero suplicó al inglés le hiciese el favor de colocar un
cestito con dos botellas en la bolsa del coche que tenía más
próxima; el inglés entreabrió los ojos, alargó una mano, y
lo hizo sin contestar una sola palabra a las expresivas fra-
ses con que le agradeciera el obsequio. De seguida se dirigió
a la joven para preguntarle si la señora que la acompañaba
era su mamá. La joven le contestó que no, con una desde-
ñosa sobriedad de palabras. Después se encaró conmigo, de-
seando saber si seguiría hasta Pamplona; satisfice esta pre-
gunta, y él, tomando pie de mi contestación, dijo que se que-
daba en Tudela; y a propósito de esto habló de mil cosas
diferentes y todas a cual de menos importancia, sobre todo,
para los que le escuchábamos. Cansado de su desesperante
monólogo o agotados los recursos de su imaginación, nues-

tro buen hombre, que por lo visto se fastidiaba a más no poder dentro de aquella atmósfera glacial y afectada, tan de buen tono entre personas que no se conocen, comenzó a poco, sin duda para distraer su aburrimiento, una serie de maniobras a cual más inconvenientes y originales. Primero cantó un rato a media voz alguna de las habaneras que habría oído en Madrid a la criada de la casa de pupilos; después comenzó a atravesar el coche de un extremo a otro, dando aquí al inglés con el codo o pisando allí el extremo del traje de las señoras para asomarse a las ventanillas de ambos lados; por último, y ésta fue la broma más pesada, dio en la flor de bajar los cristales en cada una de las estaciones para leer en alta voz el nombre del pueblo, pedir agua o preguntar los minutos que se detendría el tren. En unas y en otras, ya nos encontrábamos cerca de Medinaceli, y la noche se había entrado fría, anubarrada y desagradable; de modo que cada vez que se abría una de las ventanillas, se estaba en peligro inminente de agarrar un catarro. El inglés, que hubo de comprenderlo así, se envolvió silenciosamente en su magnífica manta escocesa; la joven, por consejo del aya, que se lo dijo en alta voz, se puso un abrigo; yo, a falta de otra cosa, me levanté el cuello del gabán y hundí cuanto pude la cabeza entre los hombros. Nuestro hombre, sin embargo, prosiguió impertérrito practicando la misma peligrosa operación tantas veces cuantas paraba el tren, hasta que al cabo, no sé si cansado de este ejercicio o advertido de la escena muda de arropamiento general que se repetía tantas veces cuantas él abría la ventanilla, cerró con aire de visible mal humor los cristales, tornando a echarse en un rincón, donde a los pocos minutos roncaba como un bendito, amenazando aplastarme la nariz con la coronilla en uno de aquellos bruscos vaivenes que de cuando en cuando le hacían salir sobresaltado de su modorra para restregarse los ojos, mirar el reloj y volverse a dormir de nuevo. El peso de las altas horas de la noche comenzaba a dejarse sentir. En el vagón reinaba un silencio profundo, interrumpido sólo por el eterno y férreo crujir del tren, y algún que otro resoplido de nuestro amodorrado compañero, que alternaba en esta tarea con la máquina.

El inglés se durmió también, pero se durmió grave y dignamente, sin mover pie ni mano, como si a pesar del letargo que le embargaba tuviese la conciencia de su posición. El

aya comenzó a cabecear un poco, acabando por bajar el velo
de su capota oscura y dormirse en estilo semiserio. Quedamos, pues, desvelados, como las vírgenes prudentes de la
parábola, tan sólo la joven y yo. A decir verdad, yo también me hubiera rendido al peso del aturdimiento y a las
fatigas de la vigilia si hubiese tenido la seguridad de mantenerme en mi sueño en una actitud, si no tan grave como
la del inmóvil *gentleman*, al menos no tan grotesca como
la del buen regidor aragonés, que ora dejándose caer la
gorra en una cabezada, ora roncando como un órgano o balbuceando palabras ininteligibles, ofrecía el espectáculo más
chistoso que imaginarse puede. Para despabilarme un poco
resolví dirigir la palabra a la joven; pero por una parte
temía cometer una indiscreción, mientras por otra, y no
era esto lo menos para permanecer callado, no sabía cómo
empezar. Entonces volví los ojos, que había tenido clavados en ella con alguna insistencia, y me entretuve en ver
pasar a través de los cristales, y sobre una faja de terreno
oscuro y monótono, ya las blancas nubes de humo y de chispas que se quedaban al paso de la locomotora rozando la tierra y como suspendidas e inmóviles, ya los palos del telégrafo, que parecían perseguirse y querer alcanzarse unos a
otros lanzados a una carrera fantástica. No obstante, la aproximación de aquella mujer hermosa que yo sentía aún sin
mirarla, el roce de su falda de seda, que tocaba a mis pics
y crujía a cada uno de sus movimientos, el sopor vertiginoso del incesante ruido, la languidez del cansancio, la misteriosa embriaguez de las altas horas de la noche, que pesan
de una manera tan particular sobre el espíritu, comenzaron a influir en mi imaginación, ya sobreexcitada extrañamente.

Estaba despierto, pero mis ideas iban poco a poco tomando esa forma extravagante de los ensueños de la mañana,
historias sin principio ni fin, cuyos eslabones de oro se quiebran con un rayo de enojosa claridad y vuelven a soldarse
apenas se corren las cortinas del lecho. La vista se me fatigaba de ver pasar, eterna, monótona y oscura como un
mar de asfalto, la línea del horizonte, que ya se alzaba, ya
se deprimía, imitando el movimiento de las olas. De cuando en cuando dejaba caer la cabeza sobre el pecho, rompía el hilo de las historias extraordinarias que iba fingiendo en la mente y entornaba los ojos; pero apenas los vol-

vía a abrir encontraba siempre delante de ellos a aquella mujer, y tornaba a mirar por los cristales, y tornaba a soñar imposibles. Yo he oído decir a muchos, y aun la experiencia me ha enseñado un poco, que hay horas peligrosas, horas lentas y cargadas de extraños pensamientos y de una voluptuosa pesadez, contra la que es imposible defenderse: en esas horas, como cuando nos turban las cabezas los vapores del vino, los sonidos se debilitan y parece que se oyen muy distantes, los objetos se ven como velados por una gasa azul, y el deseo presta audacia al espíritu, que recobra para sí todas las fuerzas que pierde la materia. Las horas de la madrugada, esas horas que deben tener más minutos que las demás, esas horas en que entre el caos de la noche comienza a forjarse el día siguiente, en que el sueño se despide con su última visión, y la luz se anuncia con ráfagas de claridad incierta, son sin duda alguna las que en más alto grado reúnen semejantes condiciones. Yo no sé el tiempo que transcurrió mientras a la vez dormía y velaba, ni tampoco me sería fácil apuntar algunas de las fantásticas ideas que cruzaron por mi imaginación, porque ahora sólo recuerdo cosas desasidas y sin sentido, como esas notas sueltas de una música lejana que trae el viento a intervalos en ráfagas sonoras: lo que sí puedo asegurar es que gradualmente se fueron embotando mis sentidos, hasta el punto que cuando un gran estremecimiento, una bocanada de aire frío y la voz del guarda de la vía me anunciaron que estaba en Tudela, no supe explicarme cómo me encontraba tan pronto en el término de la primera parte de mi peregrinación.

Era completamente de día, y por la portezuela del coche, que había abierto de par en par el señor gordo, entraban a la vez el sol rojizo y el aire fresco de la mañana. Nuestro regidor aragonés, que por lo que podía colegirse no veía la hora de dejar tan poco agradable reunión, apenas se convenció de que estábamos en Tudela, terció se la capa al hombro, tomó en una mano su sombrerera monstruo, en la otra el cesto, y saltó al andén con una agilidad que nadie hubiera sospechado en sus años y en su gordura. Yo tomé asimismo el pequeño saco, que era todo mi equipaje; dirigí una última mirada a aquella mujer, que acaso no volvería a ver más, y que había sido la heroína de mi novela de una noche, y después de saludar a mis compañeros, salí del va-

gón buscando a un chico que llevase aquel bulto y me condujese a una fonda cualquiera.

Tudela es un pueblo grande con ínfulas de ciudad, y el parador adonde me condujo mi guía, una posada con ribetes de fonda. Sentéme y almorcé: por fortuna, si el almuerzo no fue gran cosa, la mesa y el servicio estaban limpios. Hagamos esta justicia a la navarra que se encuentra al frente del establecimiento. Aun no había tomado los postres, cuando el campanilleo de las colleras, los chasquidos del látigo y las voces del zagal que enganchaba las mulas, me anunciaron que el coche de Tarazona iba a salir muy pronto. Acabé de prisa y corriendo de tomar una taza de café bastante malo y clarito por más señas, y ya se oían los gritos de ¡al coche!, ¡al coche!, unidos a las despedidas en alta voz, al ir y venir de los que colocaban los equipajes en la baca, y las advertencias, mezcladas de interjecciones, del mayoral que dirigía las maniobras desde el pescante como un piloto desde la popa de su buque.

La decoración había cambiado por completo, y nuevos y característicos personajes se encontraban en escena. En primer término, y unos recostados contra la pared, otros sentados en los marmolillos de las esquinas o agrupados en derredor del coche, veíanse hasta quince o veinte desocupados del lugar, para quienes el espectáculo de una diligencia que entra o sale es todavía un gran acontecimiento. Al pie del estribo algunos muchachos desarrapados y sucios abrían con gran oficiosidad las portezuelas pidiendo indirectamente una limosna, y en el interior del *ómnibus*, pues éste era propiamente el nombre que debiera darse al vehículo que iba a conducirnos a Tarazona, comenzaban a ocupar sus asientos los viajeros. Yo fui uno de los primeros en colocarme en mi sitio al lado de dos mujeres, madre e hija, naturales de un pueblo cercano, y que venían de Zaragoza, adonde, según me dijeron, habían ido a cumplir no sé qué voto a la Virgen del Pilar: la muchacha tenía los ojos retozones, y de la madre se conservaba todo lo que a los cuarenta y pico de años puede conservarse de una buena moza. Tras mí entró un estudiante del seminario, a quien no hubo de parecer saco de paja la muchacha, pues viendo que no podía sentarse junto a ella, porque ya lo había hecho yo, se compuso de modo que en aquellas estrecheces se tocasen rodilla con rodilla. Siguieron al estudiante otros dos indivi

duos del sexo feo, de los cuales el primero parecía militar en situación de reemplazo, y el segundo uno de esos pobres empleados de poco sueldo, a quienes a cada instante trasiega el ministerio de una provincia a otra. Ya estábamos todos, y cada uno en su lugar correspondiente, y dándonos el parabién porque íbamos a estar un poco holgados, cuando apareció en la portezuela, y como un retrato dentro de su moldura, la cabeza de un clérigo entrado en edad, pero guapote y de buen color, al que acompañaba una ama o dueña, como por aquí es costumbre llamarles, que en punto a cecina de mujer era de lo mejor conservado y apetitoso a la vista que yo he encontrado de algún tiempo a esta parte.

Sintieron unos y se alegraron otros de la llegada de los nuevos compañeros, siendo de los segundos el escolar, el cual encontró ocasión de encajarse más estrechamente con su vecina de asiento, mientras hacía un sitio al ama del cura, sitio pequeño para el volumen que había de ocuparlo, aunque grande por la buena voluntad con que se le ofrecía. Sentóse el ama, acomodóse el clérigo, y ya nos disponíamos a partir, cuando como llovido del cielo o salido de los profundos, hete aquí que se nos aparece mi famoso hombre gordo del ferrocarril, con su imprescindible cesto y su monstruosa sombrerera. Referir las cuchufletas, las interjecciones, las risas y los murmullos que se oyeron a su llegada, sería asunto imposible, como tampoco es fácil recordar las maniobras de cada uno de los viajeros para impedir que se acomodase a su lado. Pero aquél era el elemento de nuestro hombre gordo: allí donde se reía, se empujaba, y unos manoteando, otros impasibles, todos hablaban a un tiempo, se encontraba el buen regidor como el pez en el agua o el pájaro en el aire. A las cuchufletas respondía con chanzas, a las interjecciones encogiéndose de hombros, y a los embites de codos con codazos, y de manera que a los pocos minutos ya estaba sentado y en conversación con todos como si los conociese de antigua fecha. En esto partió el coche, comenzando ese continuo vaivén al compás del trote de las mulas, las campanillas del caballo delantero, el saltar de los cristales, el revolotear de los visillos y los chasquidos del látigo del mayoral, que constituyen el fondo de armonía de una diligencia en marcha. Las torres de Tudela desaparecieron detrás de una loma bordada de viñedos y olivares.

Nuestro hombre gordo, apenas se vio engolfado camino adelante y en compañía tan franca, alegre y de su gusto, desenvainó del cesto una botella y la merienda correspondiente para echar un trago. Dada la señal del combate, el fuego se hizo general en toda la línea, y unos de la fiambrera de hoja de lata, otros de un canastillo o del número de un periódico, cada cual sacó su indispensable tortilla de huevos con variedad de tropezones. Primero la botella, y cuando ésta se hubo apurado, una bota de media azumbre del seminarista, comenzaron a andar a la ronda por el coche. Las mujeres aunque se excusaban tenazmente, tuvieron que humedecerse la boca con el vino; el mayoral, dejando el cuidado de las mulas al delantero, sentóse de medio gachete en el pescante y formó parte del corro, no siendo de los más parcos en el beber; yo, aunque con nada había contribuido al festín, también tuve que empinar el codo más de lo que acostumbro.

A todo esto no cesaba el zarandeo del carruaje; de modo que, con el aturdimiento del vinillo, el continuo vaivén, el tropezón de codos y rodillas, las risotadas de éstos, el gritar de aquéllos, las palabritas a media voz de los de más allá, un poco de sol enfilado a los ojos por las ventanillas, y un bastante de polvo del que levantaban las mulas, las tres horas de camino que hay desde Tarazona a Tudela pasaron entre gloria y purgatorio, ni tan largas que me dieran lugar a desesperarme, ni tan breves que no viera con gusto el término de mi segunda jornada.

En Tarazona nos apeamos del coche entre una doble fila de curiosos, pobres y chiquillos. Despedímonos cordialmente los unos de los otros, volví a encargar a un chicuelo de la conducción de mi equipaje, y me encaminé al azar por aquellas calles estrechas, torcidas y oscuras, perdiendo de vista, tal vez para siempre, a mi famoso regidor, que había empezado por fastidiarme, concluyendo al fin por hacerme feliz con su eterno buen humor, su incansable charla y su inquietud increíble en una persona de su edad y su volumen. Tarazona es una ciudad pequeña y antigua; más lejos del movimiento que Tudela, no se nota en ella el mismo adelanto, pero tiene un carácter más original y artístico. Cruzando sus calles con arquillos y retablos, con caserones de piedra llenos de escudos y timbres heráldicos, con altas rejas de hierro de labor exquisita y extraña, hay momentos en

que se cree uno transportado a Toledo, la ciudad histórica por excelencia.

Al fin, después de haber discurrido un rato por aquel laberinto de calles, llegamos a la posada, que posada era con todos los accidentes y el carácter de tal el sitio a que me condujo mi guía. Figúrense ustedes un medio punto de piedra carcomida y tostada, en cuya clave luce un escudo con un casco que en vez de plumas tiene en la cimera una pomposa mata de jaramagos amarillos nacida entre las hendiduras de los sillares; junto al blasón de los que fueron un día señores de aquella casa solariega, hay un palo, con una tabla en la punta a guisa de banderola, en que se lee con grandes letras de almagre el título del establecimiento; el nudoso y retorcido tronco de una parra que comienza a retoñar, cubre de hojas verdes, transparentes e inquietas, un ventanuquillo abierto en el fondo de una antigua ojiva rellena de argamasa y guijarros de colores; a los lados del portal sirven de asiento algunos trozos de columnas, sustentados por rimeros de ladrillos o capiteles rotos y casi ocultos entre las hierbas que crecen al pie del muro, en el cual, entre remiendos y parches de diferentes épocas, unos blancos y brillantes aún, otros con oscuras manchas de ese barniz particular de los años, se ven algunas estaquillas de madera clavadas en las hendiduras. Tal se ofreció a mis ojos el exterior de la posada: el interior no parecía menos pintoresco.

A la derecha, y perdiéndose en la media luz que penetraba de la calle, veíase una multitud de arcos chatos y macizos que se cruzaban entre sí, dejando espacio en sus huecos a una larga fila de pesebres, formados de tablas mal unidas al pie de los postes; y diseminados por el suelo, tropezábase aquí con las enjalmas de una caballería, allá con unos cuantos pellejos de vino o gruesas sacas de lana, sobre las que merendaban sentados en corro y con el jarro en primer lugar, algunos arrieros y trajinantes.

En el fondo, y caracoleando pegada a los muros o sujeta con puntales, subía a las habitaciones interiores una escalerilla empinada y estrecha, en cuyo hueco, y revolviendo un haz de paja, picoteaban los granos perdidos hasta una media docena de gallinas; la parte de la izquierda, a la que daba paso un arco apuntado y ruinoso, dejaba ver un rincón de la cocina iluminada por el resplandor rojizo y alegre del

hogar, en donde formaban un gracioso grupo la posadera, mujer frescota y de buen temple, aunque entrada en años, una muchacha vivaracha y despierta como de quince a dieciséis, y cuatro o cinco chicuelos rubios y tiznados, amén de un enorme gato rucio y dos o tres perros que se habían dormido al amor de la lumbre.

Después de dar un vistazo a la posada, hice presente al posadero el objeto que en su busca me traía, el cual estaba reducido a que me pusiese en contacto con alguien que me quisiera ceder una caballería, para trasladarme a Veruela, punto al que no se puede llegar de otro modo.

Hízolo así el posadero, ajusté el viaje con unos hombres que habían venido a vender carbón de Purujosa y se tornaban de vacío, y héteme aquí otra vez en marcha y camino del Moncayo, atalajado en una mula, como en los buenos tiempos de la Inquisición y del rey absoluto. Cuando me vi en la mitad del camino, entre aquellas subidas y bajas tan escabrosas, rodeado de los carboneros, que marchaban a pie a mi lado cantando una canción monótona y eterna; delante de mis ojos la senda, que parecía una culebra blancuzca e interminable que se alejaba enroscándose por entre las rocas, desapareciendo aquí y tornando a aparecer más allá, y a un lado y otro los horizontes inmóviles y siempre los mismos, figurábaseme que hacía un año me había despedido de ustedes, que Madrid se había quedado en el otro cabo del mundo, que el ferrocarril que vuela, dejando atrás las estaciones y los pueblos, salvando los ríos y horadando las montañas, era un sueño de la imaginación o un presentimiento de lo futuro. Como la verdad es que yo fácilmente me acomodo a todas las cosas, pronto me encontré bien con mi última manera de caminar, y dejando ir a la mula a su paso lento y uniforme, eché a volar la fantasía por los espacios imaginarios, para que se ocupase en la calma y en la frescura sombría de los sotos de álamos que bordan el camino, en la luminosa serenidad del cielo, o saltase, como salta el ligero montañés, de peñasco en peñasco, por entre las quiebras del terreno, ora envolviéndose como en una gasa de plata en la nube que viene rastrera, ora mirando con vertiginosa emoción el fondo de los precipicios por donde va el agua, unas veces ligera, espumosa y brillante, y otras sin ruido, sombría y profunda.

Como quiera que cuando se viaja así, la imaginación de-

sasida de la materia tiene espacio y lugar para correr, volar y juguetear como una loca por donde mejor le parece, el cuerpo, abandonado del espíritu, que es el que se apercibe de todo, sigue impávido su camino hecho un bruto y atalajado como un pellejo de aceite, sin darse cuenta de sí mismo, ni saber si se cansa o no. En esta disposición de ánimo anduvimos no sé cuántas horas, porque ya no tenía ni conciencia del tiempo, cuando un airecillo agradable, aunque un poco fuerte, me anunció que habíamos llegado a la más alta de las cumbres que por la parte de Tarazona rodean el valle, término de mis peregrinaciones. Allí, después de haberme apeado de la caballería para seguir a pie el poco camino que me faltaba, pude exclamar como los cruzados a la vista de la ciudad santa:

Eco aparir Gierusalem si vede.

En efecto; en el fondo del melancólico y silencioso valle, al pie de las últimas ondulaciones del Moncayo, que levantaba sus aéreas cumbres coronadas de nieve y de nubes, medio ocultas entre el follaje oscuro de sus verdes alamedas y heridas por la última luz del sol poniente, vi las vetustas murallas y las puntiagudas torres del monasterio, en donde ya instalado en una celda, y haciendo una vida mitad por mitad literaria y campestre, espera vuestro compañero y amigo recobrar la salud, si Dios es servido de ello, y ayudaros a soportar la pesada carga del periódico en cuanto la enfermedad y su natural propensión a la vagancia se lo permitan.

CARTA SEGUNDA

Queridos amigos: Si me vieran ustedes en algunas ocasiones con la pluma en la mano y el papel delante, buscando un asunto cualquiera para emborronar catorce o quince cuartillas, tendrían lástima de mí. Gracias a Dios que no tengo la perniciosa, cuanto fea costumbre, de morderme las uñas en caso de esterilidad, pues hasta tal punto me encuentro apurado e irresoluto en estos trances, que ya sería

cosa de haberme comido la primera falange de los dedos.
Y no es precisamente porque se hayan agotado de tal modo
mis ideas, que registrando en el fondo de la imaginación, en
donde andan enmarañadas e indecisas, no pudiese topar con
alguna y traerla, a ser preciso, por la oreja, como dómine
de lugar a muchacho travieso. Pero no basta tener una
idea; es necesario despojarla de su extraña manera de ser,
vestirla un poco al uso para que esté presentable, aderezar-
la y condimentarla, en fin, a propósito, para el paladar de los
lectores de un periódico político por añadidura. Y aquí está
lo espinoso del caso, aquí la gran dificultad.

Entre los pensamientos que antes ocupaban mi imagina-
ción y los que aquí han engendrado la soledad y el retiro,
se ha trabado una lucha titánica, hasta que, por último, ven-
cidos los primeros por el número y la intensidad de sus
contrarios, han ido a refugiarse no sé dónde, porque yo los
llamo y no me contestan, los busco y no aparecen. Ahora
bien; lo que se siente y se piensa aquí en armonía con la
profunda calma y el melancólico recogimiento de estos lu-
gares, ¿podrá encontrar un eco en los que viven en ese tor-
bellino de intereses opuestos, de pasiones sobreexcitadas,
de luchas continuas, que se llama la Corte?

Yo juzgo de la impresión que pueden hacer ideas que na-
cen y se desarrollan en la austera soledad de estos claus-
tros, por la que a su vez me producen las que ahí hierven,
y de las cuales diariamente me trae *El Contemporáneo*,
como un abrasado soplo. Al periódico que todas las maña-
nas encontramos en Madrid sobre la mesa del comedor o
en el gabinete de estudio, se le recibe como un amigo de con-
fianza que viene a charlar un rato, mientras se hace hora de
almorzar; en la ventaja de que si saboreamos un veguero,
mientras él nos refiere, comentándola, la historia del día
de ayer, ni siquiera hay necesidad de ofrecerle otro, como
al amigo. Y esa historia de ayer que nos refiere, es hasta
cierto punto la historia de nuestros cálculos, de nuestras sim-
patías o de nuestros intereses; de modo que su lenguaje apa-
sionado, sus frases palpitantes, suelen hablar a un tiempo
a nuestra cabeza, a nuestro corazón y a nuestro bolsillo:
en unas ocasiones repite lo que ya hemos pensado, y nos
complace hallarlo acorde con nuestro modo de ver; otras
nos dice la última palabra de algo que comenzábamos a adi-
vinar, o nos da el tema en armonía con las vibraciones de

nuestra inteligencia para proseguir pensando. Tan íntimamente está enlazada su vida intelectual con la nuestra; tan una es la atmósfera en que se agitan nuestras pasiones y las suyas. Aquí, por el contrario, todo parece conspirar a un fin diverso. El periódico llega a los muros de este retiro como uno de esos círculos que se abren en el agua cuando se arroja una piedra, y que poco a poco se van debilitando a medida que se alejan del punto de donde partieron, hasta que vienen a morir en la orilla con un rumor apenas perceptible. El estado de nuestra imaginación, la soledad que nos rodea, hasta los accidentes locales parecen contribuir a que sus palabras suenen de otro modo en el oído. Juzgad si no por lo que mí me sucede.

Todas las tardes, y cuando el sol comienza a caer, salgo al camino que pasa por delante de las puertas del monasterio para aguardar al conductor de la correspondencia que me trae los periódicos de Madrid. Frente al arco que da entrada al primer recinto, de la abadía, se extiende una larga alameda de chopos tan altos, que, cuando agita las ramas el viento de la tarde, sus copas se unen y forman una inmensa bóveda de verdura. Por ambos lados del camino, y saltando, y cayendo con un murmullo apacible por entre las retorcidas raíces de los árboles, corren dos arroyos de agua cristalina y transparente, fría como la hoja de una espada y delgada como su filo. El terreno sobre el cual flotan las sombras de los chopos, salpicadas de manchas inquietas y luminosas, está a trechos cubierto de una hierba alta, espesa y finísima, entre la que nacen tantas margaritas blancas, que semejan a primera vista esa lluvia de flores con que alfombran el suelo los árboles frutales en los templados días de abril. En los ribazos, y entre los zarzales y los juncos del arroyo, crecen las violetas silvestres, que, aunque casi ocultas entre sus rastreras hojas, se anuncian a gran distancia con su intenso perfume; y por último, también cerca del agua y formando como un segundo término, déjase ver por entre los huecos que quedan de tronco a tronco una doble fila de nogales corpulentos con sus copas redondas, compactas y oscuras.

Como a la mitad de esta alameda deliciosa, y en un punto en que varios olmos dibujan un círculo pequeño, enlazando entre sí sus espesas ramas, que recuerdan, al tocarse en la altura, la cúpula de su santuario; sobre una escalinata

formada de grandes sillares de granito, por entre cuyas hendiduras nacen y se enroscan los tallos y las flores trepadoras, se levanta gentil, artística y alta, casi como los árboles, una cruz de mármol, que merced a su color, es conocida en estas cercanías por la *Cruz negra de Veruela*. Nada más hermosamente sombrío que este lugar. Por un extremo del camino limita la vista el monasterio con sus arcos ojivales, sus torres puntiagudas, y sus muros almenados e imponentes; por el otro, las ruinas de una pequeña ermita se levantan al pie de una eminencia sembrada de tomillos y romeros en flor. Allí, sentado al pie de la cruz, y teniendo en las manos un libro que casi nunca leo, y que muchas veces dejo olvidado en las gradas de piedra, estoy una y dos, y a veces hasta cuatro horas aguardando el periódico. De cuando en cuando veo atravesar a lo lejos una de esas figuras aisladas que se colocan en un paisaje para hacer sentir mejor la soledad del sitio. Otras veces, exaltada la imaginación, creo distinguir confusamente, sobre el fondo oscuro del follaje, los monjes blancos que van y vienen silenciosos alrededor de su abadía, o una muchacha de la aldea que pasa por ventura al pie de la cruz con un manojo de flores en el halda, se arrodilla un momento y deja un lirio azul sobre los peldaños. Luego, un suspiro que se confunde con el rumor de las hojas; después... ¡qué sé yo!... escenas sueltas de no sé qué historia que yo he oído o que inventaré algún día; personajes fantásticos que, unos tras otros, van pasando ante mi vista, y de los cuales cada uno me dice una palabra o me sugiere una idea: ideas y palabras que más tarde germinarán en mi cerebro, y acaso den fruto en el porvenir.

La aproximación del correo viene siempre a interrumpir una de estas maravillosas historias. En el profundo silencio que me rodea, el lejano rumor de los pasos de su caballo que cada vez se percibe más distinto, lo anuncia a larga distancia; por fin llega adonde estoy, saca el periódico de la bolsa de cuero que trae terciada al hombro, me lo entrega, y después de cambiar algunas palabras o un saludo, desaparece por el extremo opuesto del camino que trajo.

Como le he visto nacer, como desde que vino al mundo he vivido con su vida febril y apasionada, *El Contemporáneo* no es para mí un papel como otro cualquiera, sino que sus columnas son ustedes todos mis amigos, mis compañeros de esperanzas o desengaños, de reveses o de triunfos, de sa-

tisfacciones o de amarguras. La primera impresión que siento, pues, al recibirle, es siempre una impresión de alegría, como la que se experimenta al romper la cubierta de una carta en cuyo sobre hemos visto una letra querida, o como cuando en país extranjero se estrecha la mano de un compatriota y se oye hablar el idioma nativo. Hasta el olor particular del papel húmedo y la tinta de imprenta, olor especialísimo que por un momento viene a substituir al perfume de las flores que aquí se respira por todas partes, parece que hiere la memoria del olfato, memoria extraña y viva que indudablemente existe, y me trae un pedazo de mi antigua vida, de aquella inquietud, de aquella actividad, de aquella fiebre fecunda del periodismo. Recuerdo el incesante golpear y crujir de la máquina que multiplicaba por miles las palabras que acabábamos de escribir y que salían aún palpitando de la pluma; recuerdo el afán de las últimas horas de redacción, cuando la noche va de vencida y el original escasea; recuerdo, en fin, las veces que nos ha sorprendido el día corrigiendo un artículo o escribiendo una noticia última sin hacer más caso de las poéticas bellezas de la alborada que de la carabina de Ambrosio. En Madrid, y para nosotros en particular, ni sale ni se pone el sol: se apaga o se enciende la luz, y es por la única cosa que lo advertimos.

Al fin rompo la faja del periódico, y comienzo a pasar la vista por sus renglones hasta que gradualmente me voy engolfando en su lectura, y ya ni veo ni oigo nada de lo que se agita a mi alrededor. El viento sigue suspirando entre las copas de los árboles, el agua sonriendo a mis pies, y las golondrinas, lanzando chillidos agudos, pasan sobre mi cabeza, pero yo, cada vez más absorto y embebido con las nuevas ideas que comienzan a despertarse a medida que me hieren las frases del diario, me juzgo transportado a otros sitios y a otros días. Paréceme asistir de nuevo a la Cámara, oír los discursos ardientes, atravesar los pasillos del Congreso, donde entre el animado cuchicheo de los grupos se forman las futuras crisis; y luego veo las secretarías de los ministerios en donde se hace la política oficial; las redacciones donde hierven las ideas que han de caer al día siguiente como la piedra en el lago, y los círculos de la opinión pública que comienzan en el Casino, siguen en las mesas de los cafés y acaban en los guardacantones de las calles. Vuelvo a seguir con interés las polémicas acaloradas, vuelvo a

reanudar el roto hilo de las intrigas, y ciertas fibras embotadas aquí, las fibras de las pasiones violentas, la inquieta ambición, el ansia de algo más perfecto, el afán de hallar la verdad escondida a los ojos humanos, tornan a vibrar nuevamente y a encontrar en mi alma un eco profundo. «*El Diario Español, El Pensamiento* o *La Iberia* hablan de esto, afirman aquello, o niegan lo de más allá», dice *El Contemporáneo;* y yo, sin saber apenas donde estoy, tiendo las manos para tomarlos, creyendo que están allí a mi alcance, como si me encontrara sentado a la mesa de la redacción.

Pero esa tromba de pensamientos tumultuosos, que pasan por mi cabeza como una nube de tronada, se desvanecen apenas nacidos. Aún no he acabado de leer las primeras columnas del periódico, cuando el último reflejo del sol que dobla lentamente la cumbre del Moncayo, desaparece de la más alta de las torres del monasterio, en cuya cruz de metal llamea un momento antes de extinguirse. Las sombras de los montes bajan a la carrera y se extienden por la llanura; la luna comienza a dibujarse en el Oriente como un círculo de cristal que transparenta el cielo, y la alameda se envuelve en la indecisa luz del crepúsculo. Ya es imposible continuar leyendo. Aun se ven por una parte y entre los huecos de las ramas chispazos rojizos del sol poniente, y por la otra una claridad violada y fría. Poco a poco comienza a percibir otra vez, semejante a una armonía confusa, el ruido de las hojas y el murmullo del agua, fresco, sonoro y continuado, a cuyo compás vago y suave vuelven a ordenarse las ideas y se van moviendo con más lentitud en una danza cadenciosa, que languidece al par de la música, hasta que por último se aguzan unas tras otras como esos puntos de luz apenas perceptibles, que de pequeños nos entreteníamos en ver morir en las pavesas de un papel quemado. La imaginación entonces, ligera y diáfana, se mece y flota al rumor del agua, que la arrulla como una madre arrulla a un niño. La campana del monasterio, la única que ha quedado colgada en su ruinosa torre bizantina, comienza a tocar la oración, y una cerca, otra lejos, éstas con una vibración metálica y aguda, aquéllas con un tañido sordo y triste, les responden las otras campanas de los lugares del Somontano. De estos pequeños lugares, unos están en las puntas de las rocas colgados como el nido de un águila, y otros medio escondidos en las ondulaciones del monte o en

lo más profundo de los valles. Parece una armonía que a la vez baja del cielo y sube de la tierra, y se confunde y flota en el espacio, mezclándose al último rumor del día que muere al primer suspiro de la noche que nace.

Ya todo pasó, Madrid, la política, las luchas ardientes, las miserias humanas, las pasiones, las contrariedades, los deseos, todo se ha ahogado en aquella música divina. Mi alma está ya tan serena como el agua inmóvil y profunda. La fe en algo más grande, en un destino futuro y desconocido, más allá de esta vida, la fe de la eternidad, en fin, aspiración absorbente, única e inmensa, mata esa fe al por menor que pudiéramos llamar personal, la fe en el mañana, especie de aguijón que espolea los espíritus irresolutos, y que tanto se necesita para luchar y vivir y alcanzar cualquier cosa en la tierra.

Absorto en estos pensamientos, doblo el periódico y me dirijo a mi habitación. Cruzo la sombría calle de árboles y llego a la primera cerca del monasterio, cuya dentellada silueta se destaca por oscuro sobre el cielo en un todo semejante a la de un castillo feudal; atravieso el patio de armas con sus arcos redondos y timbrados, sus bastiones llenos de saeteras y coronados de almenas puntiagudas, de las cuales algunas yacen en el foso, medio ocultas entre los jaramagos y los espinos. Entre dos cubos de muralla altos, negros e imponentes, se alza la torre que da paso al interior; una cruz clavada en la punta indica el carácter religioso de aquel edificio, cuyas enormes puertas de hierro y muros fortísimos, más parece que deberían guardar soldados que monjes.

Pero apenas las puertas se abren rechinando sobre sus goznes enmohecidos, la abadía aparece con todo su carácter. Una larga fila de olmos entre los que se elevan algunos cipreses, deja ver en el fondo la iglesia bizantina con su portada semicircular llena de extrañas esculturas: por la derecha se extiende la remendada tapia de un huerto, por encima de la cual asoman las copas de los árboles, y a la izquierda se descubre el palacio abacial, severo y majestuoso en medio de su sencillez. Desde este primer recinto se pasa al inmediato por un arco de medio punto, después del cual se encuentra el sitio donde en otro tiempo estuvo el enterramiento de los monjes. Un arroyuelo, que luego desaparece y se oye gemir por debajo de la tierra, corre al

pie de tres o cuatro árboles viejos y nudosos: a un lado
se descubre el molino medio agazapado entre unas ruinas,
y más allá, oscura como la boca de una cueva, la portada
monumental del claustro con sus pilastras platerescas llenas
de hojarascas, bichos, ángeles, cariátides y dragones de
granito que sostienen emblemas de la Orden, mitras y
escudos.

Siempre que atravieso este recinto cuando la noche se
aproxima y comienza a influir en la imaginación con un alto
silencio y sus alucinaciones extrañas, voy pisando quedo y
poco a poco las sendas abiertas entre los zarzales y las
hierbas parásitas, como temeroso de que al ruido de mis
pasos despierte en sus fosas y levante la cabeza alguno
de los monjes que duermen allí el sueño de la eternidad.
Por último, entro en el claustro, donde ya reina una oscu-
ridad profunda: la llama del fósforo que enciendo para
atravesarlo vacila agitada por el aire, y los círculos de luz
que despide luchan trabajosamente con las tinieblas. Sin
embargo, a su incierto resplandor pueden distinguirse las
largas series de ojivas, festoneadas de hojas de trébol, por
entre las que asoman, con una mueca muda y horrible, esas
mil fantásticas y caprichosas creaciones de la imaginación
que el arte misterioso de la Edad Media dejó grabadas en
el granito de sus basílicas: aquí un endriago que se retuer-
ce por una columna y saca su deforme cabeza por entre la
hojarasca del capitel; allí un ángel que lucha con un de-
monio y entre los dos soportan la recaída de un arco que
se apunta al muro; más lejos, y sombreadas por el batiente
oscuro del lucillo que las contiene, las urnas de piedra,
donde bien con la mano en el montante o revestidas de la
cogulla, se ven las estatuas de los guerreros y abades más
ilustres que han patrocinado este monasterio o lo han en-
riquecido con sus dones.

Los diferentes y extraordinarios objetos que unos tras
otros van hiriendo la imaginación, la impresionan de una
manera tan particular, que cuando después de haber discu-
rrido por aquellos patios sombríos, aquellas alamedas mis-
teriosas y aquellos claustros imponentes, penetro al fin en
mi celda y desdoblo otra vez *El Contemporáneo* para pro-
seguir su lectura, paréceme que está escrito en un idioma
que no entiendo. Bailes, modas, el estreno de una comedia,
un libro nuevo, un cantante extraordinario, una comida en

la embajada de Rusia, la compañía de Price, la muerte de un personaje, los clowns, los banquetes políticos, la música, todo revuelto: una obra de caridad con un crimen, un suicidio con una boda, un entierro con una función de toros extraordinaria.

A esta distancia y en este lugar me parece mentira que exista aún ese mundo que yo conocía, el mundo del Congreso y las redacciones, del Casino y de los teatros, del Suizo y de la Fuente Castellana, y que existe tal como yo lo dejé, rabiando y divirtiéndose, hoy en una broma, mañana en un funeral, todos de prisa, todos cosechando esperanzas y decepciones, todos corriendo detrás de una cosa que no alcanzan nunca, hasta que corriendo den en uno de esos lazos silenciosos que nos va tendiendo la muerte, y desaparezcan como por escotillón con una gacetilla por epitafio.

Cuando me asaltan estas ideas, en vano hago esfuerzos por templarme como ustedes y entrar a compás en la danza. No oigo la música que lleva a todos envueltos como en un torbellino; no veo en esa agitación continua, en ese ir y venir, más que lo que ve el que mira un baile desde lejos, una pantomima muda e inexplicable, grotesca unas veces, terrible otras.

Ustedes, sin embargo, quieren que escriba alguna cosa, que lleve mi parte en la sinfonía general, aun a riesgo de salir desafinando. Sea, y sirva esto de introducción y preludio: quiere decir que si alguno de mis lectores ha sentido otra vez algo de lo que yo siento ahora, mis palabras le llevarán el recuerdo de más tranquilos días, como el perfume de un paraíso distante; y los que no, tendrán en cuenta mi especial posición para tolerar que de cuando en cuando rompa con una nota desacorde la armonía de un periódico político.

CARTA TERCERA

Queridos amigos: Hace dos o tres días, andando a la casualidad por entre estos montes, y habiéndome alejado más de lo acostumbrado en mis paseos matinales, acerté a descubrir casi oculto entre las quiebras del terreno y

fuera de todo camino un pueblecillo, cuya situación por
extrema pintoresca me agradó tanto, que no pude por
menos de aproximarme a él para examinarle a mis anchas.
Ni aun pregunté su nombre; y si mañana o el otro quisiera
buscarle por su situación en el mapa, creo que no lo en-
contraría: tan pequeño es y tan olvidado parece entre las
ásperas sinuosidades del Moncayo. Figúrense ustedes en el
declive de una montaña inmensa y sobre una roca que
parece servirle de pedestal, un castillo del que sólo quedan
en pie la torre del homenaje y algunos lienzos de muro car-
comidos y musgosos: agrupadas alrededor de este esqueleto
de fortaleza, cual si quisiesen todavía dormir seguras a su
sombra como en la edad de hierro en que debió alzarse, se
ven algunas casas, pequeñas heredades con sus bardales de
heno, sus tejados rojizos y sus chimeneas desiguales y pun-
tiagudas, por encima de las que se eleva el campanario de
la parroquia con su reloj de sol, su esquiloncillo que llama
a la primera misa, y su gallo de hoja de lata que gira en
lo alto de la veleta a merced de los vientos.

Una senda que sigue el curso del arroyo que cruza el
valle, serpenteando por entre los cuadros de los trigos
verdes y tirantes como el paño de una mesa de billar, sube
dando vueltas a los amontonados pedruscos sobre que se
asienta el pueblo, hasta el punto en que un pilarote de
ladrillos con una cruz en el remate señala la entrada.
Sucede con estos pueblecitos, tan pintorescos, cuando se
ven en lontananza tantas líneas caprichosas, tantas chime-
neas arrojando pilares de humo azul, tantos árboles y peñas
y accidentes artísticos, lo que con otras muchas cosas del
mundo, en que todo es cuestión de la distancia a que se
miran; y la mayor parte de las veces, cuando se llega a
ellos, la poesía se convierte en prosa. Ya en la cruz de la
entrada, lo que pude descubrir del interior del lugar no
me pareció, en efecto, que respondía ni con mucho a su
perspectiva; de modo que, no queriendo arriesgarme por
sus estrechas, sucias y empinadas callejas, comencé a cos-
tearlo, y me dirigí a una reducida llanura que se descubre
a su espalda, dominada sólo por la iglesia y el castillo. Allí
en unos campos de trigo, y junto a dos o tres nogales
aislados que comenzaban a cubrirse de hojas, está lo que,
por su especial situación y la pobre cruz de palo enclavada
sobre la puerta, colegí que sería el cementerio. Desde muy

niño concebí, y todavía conservo, una instintiva aversión a los camposantos de las grandes poblaciones: aquellas tapias encaladas y llenas de huecos, como la estantería de una tienda de géneros de ultramarinos; aquellas calles de árboles raquíticos, simétricas y enarenadas, como las avenidas de un parque inglés; aquella triste parodia de jardín con flores sin perfume y verdura sin alegría, me oprimen el corazón y me crispan los nervios. El afán de embellecer grotesca y artificialmente la muerte, me trae a la memoria esos niños de los barrios bajos, a quienes después de expirar embadurnan la cara con arrebol, de modo que, entre el cerco violado de los ojos, la intensa palidez de las sienes y el rabioso carmín de las mejillas, resulta una mueca horrible.

Por el contrario, en más de una aldea he visto un cementerio chico, abandonado, pobre, cubierto de ortigas y cardos silvestres, y me ha causado una impresión siempre melancólica, es verdad, pero mucho más suave, mucho más respetuosa y tierna. En aquellos vastos almacenes de la muerte, siempre hay algo de esa repugnante actividad del tráfico; la tierra, constantemente removida, deja ver fosas profundas que parecen aguardar su presa con hambre. Aquí nichos vacíos, a los que no falta más que un letrero: «Esta casa se alquila»; allí huesos que se retrasan en el pago de su habitación, y son arrojados qué sé yo adónde para dejar lugar a otros; y lápidas con filetes de relumbrones, y décimas y coronas de flores de trapo, y siemprevivas, de comerciantes de objetos fúnebres. En estos escondidos rincones, último albergue de los ignorados campesinos, hay una profunda calma: nadie turba su santo recogimiento, y después de envolverse en su ligera capa de tierra sin tener encima siquiera el peso de una losa, deben dormir mejor y más sosegados.

Cuando, no sin tener que forcejear antes un poco, logré abrir la carcomida y casi deshecha puerta del pequeño cementerio que por casualidad había encontrado en mi camino, y éste se ofreció a mi vista, no pude menos de confirmarme nuevamente en mis ideas. Es imposible ni aun concebir un sitio más agreste, más solitario y más triste, con una agradable tristeza, que aquél. Nada habla allí de la muerte con ese lenguaje enfático y pomposo de los epitafios; nada la recuerda de modo que horrorice con el repugnante

espectáculo de sus atavíos y despojos. Cuatro lienzos de
tapia humilde, compuestos de arena amasada con piedrecillas de colores, ladrillos rojos y algunos sillares cubiertos de
musgo en los ángulos, cercan un pedazo de tierra, en el
cual la poderosa vegetación de este país, abandonada a sí
misma, despliega sus silvestres galas con un lujo y una
hermosura imponderables. Al pie de las tapias y por entre
sus rendijas, crecen la hiedra y esas campanillas de color
de rosa pálido que suben sosteniéndose en las asperezas del
muro hasta trepar a los bardales de heno, por donde se
cruzan y se mecen como una flotante guirnalda de verdura.
La espesa y fina hierba que cubre el terreno y marca con
suave claro-oscuro todas sus ondulaciones, produce el efecto
de un tapiz bordado de esas mil florecillas cuyos poéticos
nombres ignora la ciencia, y sólo podrían decir las muchachas del lugar, que en las tardes de mayo las recogen en el
halda para engalanar el retablo de la Virgen.

Allí, en medio de algunas espigas, cuya simiente acaso
trajo el aire de las eras cercanas, se columpian las amapolas con sus cuatro hojas purpúreas y descompuestas: las
margaritas blancas y menudas, cuyos pétalos arrancan uno
a uno los amantes, semejan copos de nieve que el calor
no ha podido derretir, contrastando con los dragoncillos
corales y esas estrellas de cinco rayos, amarillas e inodoras
que llaman de los muertos, las cuales crecen salpicadas
en los camposantos entre las ortigas, las rosas de los espinos, los cardos silvestres y las alcachoferas puntiagudas y
frondosas. Una brisa pura y agradable mueve las flores, que
se balancean con lentitud, y las altas hierbas, que se inclinan y levantan a su empuje como las pequeñas olas de un
mar verde y agitado. El sol resbala suavemente sobre los
objetos, los ilumina o los transparenta, aumentando la
intensidad y la brillantez de sus tintas, y parece que los
dibuja con un perfil de oro para que destaquen entre sí
con más limpieza. Algunas mariposas revolotean de acá
para allá haciendo en el aire esos giros extraños que fatigan
la vista que inútilmente se empeña en seguir su vuelo tortuoso; y mientras las abejas estrechan sus círculos zumbando alrededor de los cálices llenos de perfumada miel,
y los pardillos picotean los insectos que pululan por el
bardal de la tapia, una lagartija asoma su cabeza triangular y aplastada y sus ojos pequeños y vivos por entre sus

hendiduras, y huye temerosa a guarecerse en su escondite al menor movimiento.

Después que hube abarcado con una mirada el conjunto de aquel cuadro, imposible de reproducir con frases siempre descoloridas y pobres, me senté en un pedrusco, lleno de esa emoción sin ideas que experimentamos siempre que una cosa cualquiera nos impresiona profundamente, y parece que nos sobrecoge por su novedad o su hermosura. En esos instantes rapidísimos en que la sensación fecunda la inteligencia, y allá en el fondo del cerebro tiene lugar la misteriosa concepción de los pensamientos, que han de surgir algún día evocados por la memoria, nada se piensa, nada se razona, los sentidos todos parecen ocupados en recibir y guardar la impresión que analizarán más tarde.

Sintiendo aún las vibraciones de esta primera sacudida del alma, que la sumerge en un agradable sopor, estuve, pues, largo tiempo, hasta que gradualmente comenzaron a extinguirse, y poco a poco fueron levantándose las ideas relativas. Estas ideas, que ya han cruzado otras veces por la imaginación y duermen en alguno de sus rincones, son siempre las primeras olvidadas en acudir cuando se toca su resorte misterioso. No sé si a todos les habrá pasado igualmente; pero a mí me ha sucedido con bastante frecuencia preocuparme en ciertos momentos con la idea de la muerte, y pensar largo rato y concebir deseos y formular votos acerca de la destinación futura, no sólo de mi espíritu, sino de mis despojos mortales. En cuanto al alma, dicho se está que siempre he deseado que se encaminase al cielo. Con el destino que darían a mi cuerpo es con lo que más he batallado, y acerca de lo cual he echado más a menudo a volar la fantasía. En aquel punto en que todas aquellas viejas locuras de mi imaginación salieron en tropel de los desvanes de la cabeza donde tengo arrinconados, como trastos inútiles, los pensamientos extraños, las ambiciones absurdas y las historias imposibles de la adolescencia, ilusiones rosadas que, como los trajes antiguos, se han ajado ya y se han puesto de color de ala de mosca con los años, fue cuando pude apreciar, corriendo al compararlas entre sí, la candidez de mis aspiraciones juveniles.

En Sevilla, y en la margen del Guadalquivir, que conduce al convento de San Jerónimo, hay cerca del agua una especie de remanso que fertiliza un valle en miniatura formado por

el corte natural de la ribera que en aquel lugar es bien alta y tiene un rápido declive. Dos o tres álamos blancos, corpulentos y frondosos, entretejiendo sus copas, defienden aquel sitio de los rayos del sol, que rara vez logra deslizarse entre las ramas, cuyas hojas producen un ruido manso y agradable cuando el viento las agita y las hace parecer ya plateadas, ya verdes, según del lado que las empuja. Un sauce baña sus raíces en la corriente del río, hacia el que se inclina como agobiado de un peso invisible, y a su alrededor crecen multitud de juncos y de esos lirios amarillos y grandes que nacen espontáneos al borde de los arroyos y las fuentes.

Cuando yo tenía catorce o quince años, y mi alma estaba henchida de deseos sin nombre, de pensamientos puros y de esa esperanza sin límites que es la más preciada joya de la juventud; cuando yo me juzgaba poeta; cuando mi imaginación estaba llena de esas risueñas fábulas del mundo clásico, y Rioja en sus silvas a las flores, Herrera en sus tiernas elegías y todos mis cantores sevillanos, dioses penates de mi especial literatura, me hablaban de continuo del Betis majestuoso, el río de las ninfas, de las náyades y los poetas, que corre al Océano escapándose de una ánfora de cristal, coronada de espadañas y laureles, ¡cuántos días, absorto en la contemplación de mis sueños de niño, fui a sentarme en su ribera, y allí, donde los álamos me protegían con su sombra, daba rienda suelta a mis pensamientos y forjaba una de esas historias imposibles, en las que hasta el esqueleto de la muerte se vestía a mis ojos con galas fascinadoras y espléndidas! Yo soñaba entonces una vida independiente y dichosa, semejante a la del pájaro, que nace para cantar, y Dios le procura de comer; soñaba esa vida tranquila del poeta que irradia con suave luz de una en otra generación; soñaba que la ciudad que me vio nacer se enorgulleciese con mi nombre, añadiéndolo al brillante catálogo de sus ilustres hijos; y cuando la muerte pusiera un término a mi existencia, me colocasen para dormir el sueño de oro de la inmortalidad a la orilla del Betis; al que yo habría cantado en odas magníficas, y en aquel mismo punto adonde iba tantas veces a oír el suave murmullo de sus ondas. Una piedra blanca con una cruz y mi nombre, serían todo el monumento.

Los álamos blancos, balanceándose día y noche sobre mi sepultura, parecían rezar por mi alma con el susurro de sus

hojas plateadas y verdes, entre las que vendrían a refugiarse los pájaros para cantar al amanecer un himno alegre a la resurrección del espíritu a regiones más serenas; el sauce, cubriendo aquel lugar de una flotante sombra, le prestaría su vaga tristeza, inclinándose y derramando en derredor sus ramas desmayadas y flexibles como para proteger y acariciar mis despojos; y hasta el río, que en las horas de creciente casi vendría a besar el borde de la losa cercada de juncos, arrullaría mi sueño con una música agradable. Pasado algún tiempo, y después que la losa comenzara a cubrirse de manchas de musgo, una mata de campanillas, de esas campanillas azules con un disco de carmín en el fondo que tanto me gustaban, crecería a su lado enredándose por entre sus grietas y vistiéndola con sus hojas anchas y transparentes, que no sé por qué misterio tienen la forma de un corazón; los insectos de oro con alas de luz, cuyo zumbido convida a dormir en la calurosa siesta, vendrían a revolotear en torno de sus cálices; para leer mi nombre, ya borroso por la acción de la humedad y los años, sería preciso descorrer un cortinaje de verdura. ¿Pero para qué leer mi nombre? ¿Quién no sabría que yo descansaba allí? Algún desconocido admirador de mis versos, plantaría un laurel que, descollando altivo entre los otros árboles, hablese a todos de mi gloria; y ya una mujer enamorada que halló en mis cantares un rasgo de esos extraños fenómenos del amor que sólo las mujeres saben sentir y los poetas descifrar, ya un joven que se sintió inflamado con el sacro fuego que hervía en mi mente, y a quien mis palabras revelaron nuevos mundos de la inteligencia, hasta entonces para él ignotos, o un extranjero que vino a Sevilla llamado por la fama de su belleza y los recuerdos que en ella dejaron sus hijos, echaría una flor sobre mi tumba, contemplándola un instante con tierna emoción, con noble envidia o respetuosa curiosidad: a la mañana, las gotas del rocío resbalarían como lágrimas sobre su superficie.

Después de remontado el sol, sus rayos la dorarían penetrando tal vez en la tierra y abrigando con su dulce calor mis huesos. En la tarde y a la hora en que las aguas del Guadalquivir copian temblando el horizonte de fuego, la árabe torre y los muros romanos de mi hermosa ciudad, los que siguen la corriente del río en un ligero bote que deja en pos una inquieta línea de oro, dirían al ver aquel rincón de

verdura sobre la piedra blanqueada al pie de los árboles: «allí duerme el poeta». Y cuando el *gran Betis* dilatase sus riberas hasta los montes; cuando sus alteradas ondas, cubriendo el pequeño valle, subiesen hasta la mitad del tronco de los álamos, las ninfas que viven ocultas en el fondo de sus palacios, diáfanos y transparentes, vendrían a agruparse alrededor de mi tumba; yo sentiría la frescura y el rumor del agua agitada por sus juegos; sorprendería el secreto de sus misteriosos amores; sentiría tal vez la ligera huella de sus pies de nieve resbalar sobre el mármol en una danza cadenciosa, oyendo, en fin, como cuando se duerme ligeramente se oyen las palabras y los sonidos de una manera confusa, el armonioso coro de sus voces juveniles y las notas de sus liras de cristal.

Así soñaba yo en aquella época. ¡A tanto y a tan poco se limitaban entonces mis deseos! Pasados algunos años, luego que hube salido de mi ciudad querida; después que mis ideas tomaron poco a poco otro rumbo, y la imaginación, cansada ya de idilios, de ninfas, de poesías y de flores, comenzó a remontarse a épocas distantes, complaciéndose en vestir con sus galas las dramáticas escenas de la historia, fingiendo un marco de oro para cada uno de sus cuadros y haciendo un pedestal para cada uno de sus personajes, volví a soñar, y, como en las comedias de magia, nuevas decoraciones de fantasía sustituyeron a las antiguas, y la vara mágica del deseo hizo posible en la mente nuevos absurdos.

¡Cuántas veces, después de haber discurrido por las anchurosas naves de alguna de nuestras inmensas catedrales góticas, o de haberme sorprendido la noche en uno de esos imponentes y severos claustros de nuestras históricas abadías, he vuelto a sentir inflamada mi alma con la idea de la gloria, pero una gloria más ruidosa y ardiente que la del poeta! Yo hubiera querido ser un rayo de la guerra, haber influido poderosamente en los destinos de mi patria, haber dejado en sus leyes y sus costumbres la profunda huella de mi paso; que mi nombre resonase unido y como personificándola, a alguna de sus grandes revoluciones, y luego, satisfecha mi sed de triunfos y de estrépito, caer en un combate, oyendo como el último rumor del mundo el agudo clamor de la trompetería de mis valerosas huestes para ser conducido sobre el pavés, envuelto en los pliegues de mi

destrozada bandera, emblema de cien victorias, a encontrar
la paz del sepulcro en el fondo de uno de esos claustros
santos, donde vive el eterno silencio y al que los siglos pres-
tan su majestad y su color misterioso e indefinible. Una
airosa ojiva, erizada de hojas revueltas y puntiagudas, por
entre las cuales se enroscan, asomando su deforme cabeza,
por aquí un grifo, por allá uno de esos monstruos alados,
engendro de la imaginación del artífice, bañaría en oscura
sombra mi sepulcro: a su alrededor, y debajo de calados
doseletes, los santos patriarcas, los bienaventurados y los
mártires con sus miembros de hierro y sus emblemáticos
atributos, parecerían santificarle con su presencia. Dos gue-
rreros inmóviles y vestidos de su fantástica y blanca ar-
madura, velarían día y noche de hinojos a sus costados;
y mientras que mi estatua de alabastro riquísimo y trans-
parente, con arreos de batallar, la espada sobre el pecho
y un león a los pies, dormiría majestuosa sobre el túmulo,
los ángeles que, envueltos en largas túnicas y con un dedo
en los labios, sostuviesen el cojín sobre que descansaba mi
cabeza, parecerían llamar con sus plegarias a las santas
visiones de oro que llenan el desconocido sueño de la muer-
te de los justos, defendiéndome con sus alas de los terrores
y de las angustias de una pesadilla eterna.

En los huecos de la urna y entre un sinnúmero de arcos
con caireles y grumos de hojas de trébol, rosetas caladas,
haces de columnillas y esas largas procesiones de plañideras
que, envueltas en sus mantos de piedra, andan, al parecer,
en torno del monumento llorando con llanto sin gemidos, se
verían mis escudos triangulares soportados por reyes de
armas con sus birretes y sus blasonadas casullas, y en los
cuarteles, realzados con vivos colores, merced a un hábil
iluminador, las bandas de oro, las estrellas, los veros y los
motes heráldicos con una larga inscripción en esa letra
gótica, estrecha y puntiaguda, donde el curioso, lleno de
hondo respeto, leería con pena y casi descifrándolos, mi
nombre, mis títulos y mi gloria. Allí, rodeado de esa atmós-
fera de majestad que envuelve a todo lo grande, sin que
turbara mi reposo más que al agudo chillido de una de esas
aves nocturnas de ojos redondos y fosfóricos, que acaso
viniera a anidar entre los huecos del arco, viviría todo lo que
vive un recuerdo histórico y glorioso unido a una magnífica
obra de arte; y en la noche, cuando un furtivo rayo de luna

dibujase en el pavimento del claustro los severos perfiles
de las ojivas, cuando sólo se oyesen los gemidos del aire
extendiéndose de eco en eco por sus inmensas bóvedas, des-
pués de haberse perdido la última vibración de la campana
que toca la queda, mi estatua, en la que habría algo de
lo que yo fui, un poco de ese soplo que anima el barro
encadenado por un fenómeno incomprensible al granito,
¡quién sabe si se levantaría de su lecho de piedra para
discurrir por entre aquellas gigantes arcadas con los otros
guerreros que tendrían su sepultura por allí cerca con los
prelados revestidos de sus capas pluviales y sus mitras, y
esas damas de largo brial y plegados monjiles que, hermosas
aun en la muerte, duermen sobre las urnas de mármol en
los más oscuros ángulos de los templos!...

Desde que impresionada la imaginación por la vaga me-
lancolía o la imponente hermosura de un lugar cualquiera,
se lanzaba a construir con fantásticos materiales uno de esos
poéticos recintos, último albergue de mis mortales despojos,
hasta el punto aquel en que sentado al pie de la humilde
tapia del cementerio de una aldea oscura, parecía como que
se reposaba mi espíritu en su honda calma y se abrían mis
ojos a la luz de la realidad de las cosas, ¡qué revolución
tan radical y profunda no se ha hecho en todas mis ideas!
¡Cuántas tempestades silenciosas no han pasado por mi
frente; cuántas ilusiones no se han secado en mi alma;
a cuántas historias de poesía no les he hallado una repug-
nante vulgaridad en el último capítulo! Mi corazón, a seme-
janza de nuestro globo, era como una masa incandescente
y líquida, que poco a poco se va enfriando y endureciendo.
Todavía queda algo que arde allá en lo más profundo, pero
rara vez sale a la superficie. Las palabras amor, gloria,
poesía, no me suenan al oído como me sonaban antes.
¡Vivir!... Seguramente que deseo vivir, porque la vida, to-
mándola tal como es, sin exageraciones ni engaños, no es
tan mala como dicen algunos; pero vivir oscuro y dichoso
en cuanto es posible, sin deseos, sin inquietudes, sin ambi-
ciones, con esa felicidad de la planta que tiene a la mañana
su gota de rocío y su rayo de sol; después un poco de
tierra echada con respeto y que no apisonen y pateen los
que sepultan por oficio; un poco de tierra blanda y floja
que no ahogue ni oprima; cuatro ortigas, un cardo silves-
tre y alguna hierba que me cubra con su manto de raíces,

y por último, un tapial que sirva para que no aren en aquel sitio, ni revuelvan los huesos.

He aquí hoy por hoy todo lo que ambiciono. Ser un comparsa en la inmensa comedia de la humanidad; y concluido mi papel de hacer bulto, meterme entre bastidores, sin que me silben ni me aplaudan, sin que nadie se aperciba siquiera de mi salida.

No obstante esta profunda indiferencia, se me resiste el pensar que podrían meterme preso en un ataúd formado con las cuatro tablas de un cajón de azúcar, en uno de los huecos de la estantería de una sacramental, para esperar allí la trompeta del juicio como empapelado, detrás de una lápida con una redondilla elogiando mis virtudes domésticas, e indicando precisamente el día y la hora de mi nacimiento y de mi muerte. Esta profunda e instintiva preocupación ha sobrevivido, no sin asombro por mi parte, a casi todas las que he ido abandonando en el curso de los años; pero al paso que voy, probablemente mañana no existirá tampoco; y entonces me será tan igual que me coloquen debajo de una pirámide egipcia, como que me aten una cuerda a los pies y me echen a un barranco como un perro.

Ello es que cada día voy creyendo más, que de lo que vale, de lo que es algo, no ha de quedar ni un átomo aquí.

CARTA CUARTA

Queridos amigos: El tiempo, que hasta aquí se mantenía revuelto y mudable, ha sufrido últimamente una nueva e inesperada variación, cosa, a la verdad, poco extraña a estas alturas, donde la proximidad del Moncayo nos tiene de continuo como a los espectadores de una comedia de magia, embobados y suspensos con el rápido mudar de las decoraciones y de las escenas. A las alternativas de frío y calor, de aires y de bochorno de una primavera, que en cuanto a desigual y caprichosa nada tiene que envidiar a la que disfrutan ustedes en la coronada villa, ha sucedido un tiempo constante, sereno y templado. Merced a estas circunstancias y a encontrarme bastante mejor de las dolencias que cuando no me imposibilitan del todo, me quitan por lo menos el gusto para las largas expediciones, he po-

dido dar una gran vuelta por esos contornos y visitar los pintorescos lugares del Somontano. Fuera del camino, ya trepando de roca en roca, ya siguiendo el curso de una huella o las profundidades de una cañada, he vagado tres o cuatro días de un punto a otro por donde me llamaban el atractivo de la novedad, un sitio inexplorado, una senda quebrada, una punta al parecer inaccesible.

No pueden ustedes figurarse el botín de ideas e impresiones que, para enriquecer la imaginación, he recogido en esta vuelta por un país virgen aún y refractario a las innovaciones civilizadoras. Al volver al monasterio, después de haberme detenido aquí para recoger una tradición oscura, de boca de una aldeana, allá, para apuntar los fabulosos datos sobre el origen de un lugar o la fundación de un castillo, trazar ligeramente con el lápiz el contorno de una casuca medio árabe, medio bizantina, un recuerdo de las costumbres, o un tipo perfecto de los habitantes, no he podido menos de recordar el antiguo y manoseado símil de las abejas que andan revoloteando de flor en flor y vuelven a su colmena cargadas de miel. Los escritores y los artistas debían hacer con frecuencia algo de esto mismo. Sólo así podríamos recoger la última palabra de una época que se va, de la que sólo quedan hoy algunos rastros en los más apartados rincones de nuestras provincias, y de la que apenas restará mañana un recuerdo confuso.

Yo tengo fe en el porvenir: me complazco en asistir mentalmente a esa inmensa e irresistible invasión de las nuevas ideas que van transformando poco a poco la faz de la humanidad, que merced a sus extraordinarias invenciones fomentan el comercio de la inteligencia, estrechan el vínculo de los países, fortificando el espíritu de las grandes nacionalidades, y borrando, por decirlo así, las preocupaciones y las distancias, hacen caer unas tras otras las barreras que separan a los pueblos. No obstante, sea cuestión de poesía, sea que es inherente a la naturaleza frágil del hombre simpatizar con lo que perece y volver los ojos con cierta triste complacencia hacia lo que ya no existe; ello es, que en el fondo de mi alma consagro como una especie de culto, una veneración profunda por todo lo que pertenece al pasado, y las poéticas tradiciones, las derruidas fortalezas, los antiguos usos de nuestra vieja España, tienen para mí todo ese indefinible encanto, esa vaguedad misteriosa

de la puesta del sol de un día espléndido, cuyas horas, llenas de emociones, vuelven a pasar por la memoria vestidas de colores y de luz, antes de sepultarse en las tinieblas en que se han de perder para siempre.

Cuando no se conocen ciertos períodos de la historia más que por la incompleta y descarnada relación de los enciclopedistas, o por algunos restos diseminados como los huesos de un cadáver, no pudiendo apreciar ciertas figuras desasidas del verdadero fondo del cuadro en que estaban colocadas, suele juzgarse de todo lo que fue con un sentimiento de desdeñosa lástima o un espíritu de aversión intransigente; pero si se penetra, merced a un estudio concienzudo, en algunos de sus misterios, si se ven los resortes de aquella gran máquina que hoy juzgamos absurda al encontrarla rota, si, merced a un supremo esfuerzo de la fantasía ayudada por la erudición y el conocimiento de la época, se consigue condensar en la mente algo de aquella atmósfera de arte, de entusiasmo, de virilidad y de fe, el ánimo se siente sobrecogido ante el espectáculo de su múltiple organización, en que las partes relacionadas entre sí correspondían perfectamente al todo, y en que los usos, las leyes, las ideas y las aspiraciones se encontraban en una armonía maravillosa. No es esto decir que yo desee para mí ni para nadie la vuelta de aquellos tiempos. Lo que ha sido no tiene razón de ser nuevamente, y no será.

Lo único que yo desearía es un poco de respetuosa atención para aquellas soledades, un poco de justicia para los que lentamente vinieron preparando el camino por donde hemos llegado hasta aquí, y cuya obra colosal quedará acaso olvidada por nuestra ingratitud e incuria. La misma certeza que tengo de que nada de lo que desapareció ha de volver, y que en la lucha de las ideas, las nuevas han herido de muerte a las antiguas, me hace mirar cuanto con ellas se relaciona con algo de esa piedad que siente hacia el vencido un vencedor generoso. En este sentimiento hay también un poco de egoísmo. La vida de una nación, a semejanza de la del hombre, parece como que se dilata con la memoria de las cosas que fueron y a medida que es más viva y más completa su imagen, es más real esa segunda existencia del espíritu en lo pasado, existencia más preferible y positiva tal vez que la del punto presente. Ni de lo que está siendo ni de lo que será, puede aprovecharse la inteli-

gencia para sus altas especulaciones: ¿qué nos resta pues de nuestro dominio absoluto, sino la sombra de lo que ha sido? Por eso al contemplar los destrozos causados por la ignorancia, el vandalismo o la envidia durante nuestras últimas guerras; al ver todo lo que en objetos dignos de estimación, en costumbres peculiares y primitivos recuerdos de otras épocas, se ha extraviado y puesto en desuso de sesenta años a esta parte; lo que las exigencias de la nueva manera de ser social trastornan y desencajan; lo que las necesidades y las aspiraciones crecientes desechan u olvidan, un sentimiento de profundo dolor se apodera de mi alma y no puedo menos de culpar el descuido o el desdén de los que a fines del siglo pasado pudieron aún recoger para transmitírnoslas íntegras las últimas palabras de la tradición nacional, estudiando detenidamente nuestra vieja España, cuando aún estaban de pie los monumentos testigos de sus glorias, cuando aún en las costumbres y en la vida interna quedaban huellas perceptibles de su carácter.

Pero de esto nada nos queda ya hoy; y sin embargo, ¿quién sabe si nuestros hijos a su vez nos envidiarán a nosotros, doliéndose de nuestra ignorancia o nuestra culpable apatía para transmitirles siquiera un trasunto de lo que fue un tiempo su patria? ¿Quién sabe si cuando con los años todo haya desaparecido, tendrán las futuras generaciones que contentarse y satisfacer su ansia de conocer el pasado con las ideas más o menos aproximadas de algún nuevo Cuvier de la arqueología, que partiendo de algún mutilado resto o una vaga tradición lo reconstruya hipotéticamente? Porque no hay duda: el prosaico rasero de la civilización va igualándolo todo. Un irresistible y misterioso impulso tiende a unificar los pueblos con los pueblos, las provincias con las provincias, las naciones con las naciones, y quién sabe si las razas con las razas. A medida que la palabra vuela por los hilos telegráficos, que el ferrocarril se extiende, la industria se acrecienta, y el espíritu cosmopolita de la civilización invade nuestro país, van desapareciendo de él sus rasgos característicos, sus costumbres inmemoriales, sus trajes pintorescos y sus rancias ideas. A la inflexible línea recta, sueño dorado de todas las poblaciones de alguna importancia, se sacrifican las caprichosas revueltas de nuestros barrios moriscos, tan llenos de carácter, de misterio y de fresca sombra; de un retablo al

que vivía unida una tradición, no queda aquí más que el nombre escrito en el azulejo de una bocacalle; a un palacio histórico con sus arcos redondos y sus muros blasonados, sustituye más allá una manzana de casas a la moderna, las ciudades, no cabiendo ya dentro de su antiguo perímetro, rompen el cinturón de fortalezas que las ciñe, y unas tras otras vienen al suelo las murallas fenicias, romanas, godas o árabes.

¿Dónde están los canceles y las celosías morunas? ¿Dónde los pasillos embovedados, los aleros salientes de maderas labradas, los balcones con su guardapolvo triangular, las ojivas con estrellas de vidrio, los muros de los jardines por donde rebosa la verdura, las encrucijadas medrosas, los carasoles de las tafurerías y los espaciosos atrios de los templos? El albañil, armado de su implacable piqueta, arrasa los ángulos caprichosos, tira los puntiagudos tejados o demuele los moriscos miradores, y mientras el brochista roba a los muros el artístico color que le han dado los siglos, embadurnándolos de cal y almagra, el arquitecto los embellece a su modo con carteles de yeso y cariátides de escayola, dejándolos más vistosos que una caja de dulces franceses. No busquéis ya los cosos donde justaban los galanes, las piadosas ermitas albergue de los peregrinos, o el castillo hospitalario para el que llamaba de paz a sus puertas. Las almenas caen unas tras otras de lo alto de los muros y van cegando los fosos; de la picota feudal sólo queda un trozo de granito informe, y el arado abre un profundo surco en el patio de armas. El traje característico del labriego comienza a parecer un disfraz fuera del rincón de su provincia; las fiestas peculiares de cada población comienzan a encontrarse ridículas o de mal gusto por los más ilustrados, y los antiguos usos caen en el olvido, la tradición se rompe y todo lo que no es nuevo se menosprecia.

Estas innovaciones tienen su razón de ser, y por tanto no seré yo quien las anatematice. Aunque me entristece el espectáculo de esa progresiva destrucción de cuanto trae a la memoria épocas que, si en efecto no lo fueron sólo por no existir ya, nos parecen mejores, yo dejaría al tiempo seguir su curso y completar sus inevitables revoluciones, como dejamos a nuestras mujeres o a nuestras hijas que arrinconen en un desván los trastos viejos de nuestros

padres para sustituirlos con muebles modernos y de más
buen tono; pero ya que ha llegado la hora de la gran trans-
formación, ya que la sociedad animada de un nuevo espíritu
se apresta a revestirse de una nueva forma, debíamos guar-
dar, merced al esfuerzo de nuestros escritores y nuestros
artistas, la imagen de todo eso que va a desaparecer, como
se guarda después que muere, el retrato de una persona
querida. Mañana, al verlo todo constituido de una manera
diversa, al saber que nada de lo que existe existía hace
algunos siglos, se preguntarán los que vengan detrás de
nosotros de qué modo vivían sus padres, y nadie sabrá
responderles; y no conociendo ciertos pormenores de loca-
lidad, ciertas costumbres al influjo de determinadas ideas en
el espíritu de una generación, que tan perfectamente re-
flejaran sus adelantos y sus aspiraciones, leerán la historia
sin saberla explicar, y verán moverse a nuestros héroes
nacionales con la estupefacción con que los muchachos ven
moverse una marioneta sin saber los resortes a que obe-
dece.

A mí me hace gracia observar cómo se afanan los sabios,
qué grandes cuestiones enredan, y con qué exquisita dili-
gencia se procuran los datos acerca de las más insignifican-
tes particularidades de la vida doméstica de los egipcios
o los griegos, en tanto que se ignoran los más curiosos
pormenores de nuestras costumbres propias; cómo se re-
montan y se pierden de inducción en inducción, por entre
el laberinto de las lenguas caldaicas, sajonas o sánscritas,
en busca del origen de las palabras, en tanto que se olvidan
de investigar algo más interesante: el origen de las ideas.

En otros países más adelantados que el nuestro, y donde
por consiguiente, el ansia de las innovaciones lo ha trastor-
nado todo más profundamente, se deja ya sentir la reacción
en sentido favorable a este género de estudios; y aunque
tarde, para que sus trabajos den el fruto que se debió
esperar, la Edad Media y los períodos históricos que más
de cerca se encadenan con el momento actual, comienzan
a ser estudiados y comprendidos. Nosotros esperaremos re-
gularmente a que se haya borrado la última huella para
empezar a buscarla. Los esfuerzos aislados de algún que
otro admirador de esas cosas, poco o casi nada pueden
hacer. Nuestros viajeros son en muy corto número, y por
lo regular no es su país el campo de sus observaciones.

Aunque así no fuese, una excursión por las capitales, hoy que en su gran mayoría están ligadas con la gran red de vías férreas, escasamente lograría llenar el objeto de los que desean hacer un estudio de esta índole. Es preciso salir de los caminos trillados, vagar al acaso de un lugar en otro, dormir medianamente, y no comer mejor; es preciso fe y verdadero entusiasmo por la idea que se persigue para ir a buscar los tipos originales, las costumbres primitivas y los puntos verdaderamente artísticos a los rincones donde su oscuridad les sirve de salvaguardia, y de donde poco a poco los van desalojando la invasora corriente de la novedad y los adelantos de la civilización. Todos los días vemos a los gobiernos emplear grandes sumas en enviar gentes que no sin peligros y dificultades recogen en lejanos países, bichitos, florecitas y conchas.

Porque yo no sea un sabio ni mucho menos, no dejo de conocer la verdadera importancia que tienen las ciencias naturales; pero la ciencia moral ¿por qué ha de dejarse en un inexplicable abandono? ¿Por qué al mismo tiempo que se recogen los huesos de un animal antediluviano, no se han de recopilar las ideas de otros siglos traducidas en objetos de arte y usos extraños, diseminados acá y allá como los fragmentos de un coloso hecho mil pedazos? Este inmenso botín de impresiones de pequeños detalles, de joyas extraviadas, de trajes pintorescos, de costumbres características animadas y revestidas de esa vida que presta a cuanto toca una pluma inteligente o un lápiz diestro, ¿no creen ustedes, como yo, que serían de grande utilidad para los estudios particulares y verdaderamente filosóficos de un período cualquiera de la historia? Verdad que nuestro fuerte no es la historia. Si algo hemos de saber en este punto, casi siempre se ha de tomar algún extranjero el trabajo de decírnoslo del modo que a él mejor le parece. Pero, ¿por qué no se ha de abrir este ancho campo a nuestros escritores facilitándoles el estudio y despertando y fomentando su afición? Hartos estamos de ver en obras dramáticas, en novelas que se llaman históricas y cuadros que llenan nuestras exposiciones, asuntos localizados en este o el otro período de un siglo cualquiera, y que cuando más tienen de ellos un carácter muy dudoso y susceptible de severa crítica, si los críticos a su vez no supieran en este punto lo mismo o menos que los autores y artistas a quienes han de juzgar.

Las colecciones de trajes y muebles de otros países, los detalles que acerca de costumbres de remotos tiempos se hallan en las novelas de otras naciones, o lo poco o mucho que nuestros pensionados aprenden relativo a otros tipos históricos y otras épocas, nunca son idénticos ni tienen un sello especial; son las únicas fuentes donde bebe su erudición y forma su conciencia artística la mayoría. Para remediar este mal, muchos medios podrían proponerse más o menos eficaces, pero que al fin darían algún resultado ventajoso. No es mi ánimo, ni he pensado lo suficiente sobre la materia, el trazar un plan detallado y minucioso que, como la mayor parte de los que se trazan, no llegue a realizarse nunca. No obstante, en esta o en la otra forma, bien pensionándolos, bien adquiriendo sus estudios o coadyuvando a que se diesen a luz, el Gobierno debía fomentar la organización periódica de algunas expediciones artísticas a nuestras provincias. Estas expediciones, compuestas de grupos de un pintor, un arquitecto y un literato, seguramente recogerían preciosos materiales para obras de grande entidad. Unos y otros se ayudarían en sus observaciones mutuamente, ganarían en esa fraternidad artística, en ese comercio de ideas tan continuamente relacionadas entre sí, y sus trabajos reunidos serían un verdadero arsenal de datos, ideas y descripciones útiles para todo género de estudios.

Además de la ventaja inmediata que reportaría esta especie de inventario artístico e histórico de todos los restos de nuestra pasada grandeza, ¿qué inmensos frutos nos daría más tarde esa semilla de impresiones, de enseñanza y de poesía, arrojada en el alma de la generación joven, donde iría germinando para desarrollarse tal vez en lo porvenir? Ya que el impulso de nuestra civilización, de nuestras costumbres, de nuestras artes y de nuestra literatura viene del extranjero, ¿por qué no se ha de procurar modificarlo poco a poco, haciéndolo más propio y más característico con esa levadura nacional?

..

Como introducción al rápido bosquejo de uno de esos tipos originales de nuestro país, que he podido estudiar en mis últimas correrías, comencé a apuntar de pasada y a manera de introducción algunas reflexiones acerca de la utilidad de

este género de estudios. Sin saber cómo ni por dónde, la pluma ha ido corriendo, y me hallo ahora con que para introducción es esto muy largo, si bien ni por sus dimensiones y su interés, parece bastante para formar artículo de por sí. De todos modos, allá van esas cuartillas, valgan por lo que valieren: que si alguien de más conocimientos e importancia, una vez apuntada la idea, la desarrolla, y prepara la opinión para que fructifique, no serán perdidas del todo. Yo, entretanto, voy a trazar un tipo bastante original, y que desconfío de poder reproducir. Ya que no de otro modo, y aunque poco valga, contribuiré al éxito de la predicación con el ejemplo.

CARTA QUINTA

Queridos amigos: Entre los muchos sitios pintorescos y llenos de carácter que se encuentran en la antigua ciudad de Tarazona, la plaza del Mercado es sin duda alguna el más original y digno de estudio. Parece que no ha pasado para ella el tiempo que todo lo destruye o altera. Al verse en mitad de aquel espacio de forma irregular y cerrado por lienzos de edificios a cual más caprichosos y vetustos, nadie diría que nos hallamos en pleno siglo XIX, siglo amante de la novedad por excelencia, siglo aficionado hasta la exageración a lo flamante, lo limpio y lo uniforme. Hay cosas que son más para vistas que para trasladadas al lienzo, siquiera el que lo intente sea un artista consumado, y esta plaza es una de ellas. A donde no alcanza pues, ni la paleta del pintor con sus infinitos recursos, ¿cómo podrá llegar mi pluma, sin más medios que la palabra, tan pobre, tan insuficiente para dar idea de lo que es todo un efecto de líneas, de claro-obscuro, de combinación de colores, de detalles que se ofrecen juntos a la vista, de rumores y sonidos que se perciben a la vez, de grupos que se forman y se deshacen, de movimiento que no cesa, de luz que hiere, de ruido que aturde, de vida, en fin, con sus múltiples manifestaciones, imposibles de sorprender con sus infinitos accidentes ni aun merced a la cámara fotográfica? Cuando se acomete la difícil empresa de descomponer esa extraña armonía de la forma, el color y el sonido; cuando se intenta dar a conocer sus por-

menores, enumerando unas tras otras las partes del todo, la
atención se fatiga, el discurso se embrolla y se pierde por
completo la idea de la íntima relación que estas cosas tienen
entre sí, el valor que mutuamente se prestan al ofrecerse reu-
nidas a la mirada del espectador, para producir el efecto del
conjunto, que es, a no dudarlo, su mayor atractivo.

Renuncio, pues, a describir el panorama del mercado con
sus extensos soportales, formados de arcos macizos y redon-
dos sobre los que gravitan esas construcciones voladas, tan
propias del siglo XVI, llenas de tragaluces circulares, de re-
jas de hierro labradas a martillo, de balcones imposibles de
todas formas y tamaños, de aleros puntiagudos y de canes de
madera, ya medio podrida y cubierta de polvo, que deja ver
a trechos el costoso entalle, muestra de su primitivo es-
plendor.

Los mil y mil accidentes pintorescos que a la vez cautivan
el ánimo y llaman la vista como reclamando la prioridad de
la descripción; las dobles hileras de casuquillas de extraño
contorno y extravagantes proporciones, estas altas y estre-
chas como un castillo, aquéllas chatas y agazapadas entre el
ángulo de un templo y los muros de un palacio como una ve-
rruga de argamasa y escombros; los recortados lienzos de
edificios con un remiendo moderno, un trozo de piedra que
acusa antigüedad, un escudo de pizarra que oculta casi el
rótulo de la mercería, un retablillo con una imagen de la
Purísima y su farol ahumado y diminuto, o el retorcido tron-
co de una vid que sale del interior por un agujero practica-
do en la pared y sube hasta sombrear con un toldo de verdu-
ra el alféizar de un ajimez árabe, confundidos y entremez-
clados en mi memoria con el recuerdo de la monumental fa-
chada de la casa-ayuntamiento, con sus figuras colosales de
granito, sus molduras de hojarasca, sus frisos por donde
se extiende una larga y muda procesión de guerreros de pie-
dra, precedidos de timbales y clarines, sus torres cónicas,
sus arcos chatos y fuertes, y sus blasones soportados por
ángeles y grifos rampantes, forman en mi cabeza un caos
tan difícil de desembrollar en este momento, que si ustedes
con su imaginación no hacen en él la luz y lo ordenan y co-
locan a su gusto, todas estas cosas que yo arrojo a granel
sobre las cuartillas, las figuras de mi cuadro se quedarán
sin fondo, los actores de mi comedia se agitarán en un es-
cenario sin decoración ni acompañamiento.

Figúrense ustedes, pues, partiendo de estos datos y como mejor les plazca, el mercado de Tarazona: figúrense ustedes que ven, por aquí, cajones formados de tablas y esteras, tenduchos levantados de improviso con estacas y lienzos, mesillas cojas y contrahechas, bancos largos y oscuros, y por allá, cestos de fruta que ruedan hasta el arroyo, montones de hortalizas frescas y verdes, rimeros de panes blancos y rubios, trozos de carne que cuelgan de garfios de hierro, tenderetes de ollas, pucheros y platos, guirnaldas de telas de colorines, pañuelos de tintas rabiosas, zapatos de cordobán y alpargatas de cáñamo que engalanan los soportales, sujetos con cordeles, de columna a columna, y figúrense ustedes circulando por medio de ese pintoresco cúmulo de objetos, producto de la atrasada agricultura y la pobre industria de este rincón de España, una multitud abigarrada de gentes que van y vienen en todas direcciones, paisanos con sus mantas de rayas, sus pañuelos rojos unidos a las sienes, su faja morada y su calzón estrecho, mujeres de los lugares circunvecinos con sayas azules, verdes, encarnadas y amarillas; por este lado un señor antiguo, de los que ya sólo aquí se encuentran, con su calzón corto, su media de lana oscura y su sombrero de copa; por aquél un estudiante con sus manteos y su tricornio, que recuerdan los buenos tiempos de Salamanca, y chiquillos que corren y vocean, caballerías que cruzan, vendedores que pregonan, una interjección característica por acá, los desaforados gritos de los que disputan y riñen, todo envuelto y confundido con ese rumor sin nombre que se escapa de las reuniones populares donde todos hablan, se mueven y hacen ruido a la vez, mientras se codean, avanzan, retroceden, empujan o resisten, llevados por el oleaje de la multitud.

La primera vez que tuve ocasión de presenciar este espectáculo lleno de animación y de vida, perdido entre los numerosos grupos que llenaban la plaza de un extremo a otro, apenas pude darme cuenta exacta de lo que sucedía a mi alrededor. La novedad de los tipos, los trajes y las costumbres; el extraño aspecto de los edificios y las tiendecillas, encajonadas unas entre dos pilares de mármol, otras bajo un arco severo e imponente, o levantadas al aire libre sobre tres o cuatro palitroques; hasta el pronunciado y especial acento de los que voceaban pregonando sus mercancías, nuevo completamente para mí, eran causa más que

bastante a producirme ese aturdimiento que hace imposible la percepción detallada de un objeto cualquiera. Mis miradas, vagando de un punto a otro sin cesar un momento, no tenían ni voluntad propia para fijarse en un sitio. Así estuve cerca de una hora cruzando en todos sentidos la plaza, a la que, por ser día de fiesta y uno de los más clásicos del mercado, había acudido más gente que de costumbre, cuando en uno de sus extremos y cerca de una fuente donde unos lavaban las verduras, otros recogían agua en un cacharro o daban de beber a sus caballerías, distinguí un grupo de muchachas que, en su original y airoso atavío, en sus maneras y hasta en su particular modo de expresarse, conocí que serían de alguno de los pueblos de las inmediaciones de Tarazona, donde más puras y primitivas se conservan las antiguas costumbres, y ciertos tipos del alto Aragón. En efecto, aquellas muchachas, cuya fisonomía especial, cuya desenvoltura varonil, cuyo lenguaje mezclado de las más enérgicas interjecciones, contrastaba de un modo notable con la expresión de ingenua sencillez de sus rostros, con su extremada juventud y con la inocencia que descubren a través del somero barniz de malicia de su alegre dicharacheo, se distinguían tanto de las otras mujeres de las aldeas y lugares de los contornos que, como ellas, vienen al mercado de la ciudad, que desde luego se despertó en mí la idea de hacer un estudio más detenido de sus costumbres, enterándome del punto de que procedían y el género de tráfico en que se ocupaban.

So pretexto de ajustar una carga de leña de las varias que tenían sobre algunos borriquillos pequeños, huesosos y lanudos, trabé conversación con una de las que me parecieron más juiciosas y formales, mientras las otras nos aturdían con sus voces, sus risotadas o sus chistes, pues es tal la fama de alegres y decidoras que tienen entre las gentes de la ciudad, que no hay seminarista desocupado o zumbón que al pasar no les diga alguna cosa, seguro de que no ha de faltarles una ocurrencia oportuna y picante para responderles.

Mi conversación, en la que por incidencia toqué dos o tres puntos de los que deseaba aclarar, fue por lo tanto todo lo insuficiente que, dadas las condiciones del sitio y de mis interlocutoras, se podía presumir. Supe, no obstante, que eran de Añón, pueblecito que dista unas tres horas de camino de

Tarazona, y que en mis paseos alrededor de esta abadía, he tenido ocasión de ver varias veces muy en lontananza y casi oculto por las gigantescas ondulaciones del Moncayo, en cuya áspera falda tiene su asiento, y que su ocupación diaria consistía en ir y venir desde su aldea a la ciudad, donde traían un pequeño comercio, con la leña que en gran abundancia les suministran los montes, entre los cuales viven. Estas noticias, aunque vulgares, escasas y unidas a las que después pude adquirir por el dueño del parador en que estuve los dos o tres días que permanecí en Tarazona, en aquella ocasión sólo sirvieron para avivar mi deseo de conocer más a fondo las costumbres de este tipo particular de mujeres, en las que desde luego llaman la atención sus rasgos de belleza nada comunes y su aire resuelto y gracioso.

Esto aconteció hará cosa de tres o cuatro meses, en el intervalo de los cuales, todas las mañanas, antes de salir el sol, y confundiéndose con la algarabía de los pájaros, llegaban hasta mi celda, sacándome a veces de mi sueño, las voces alegres y sonoras, aunque un tanto desgarradas, de esas mismas muchachas que mordiendo un tarugo de pan negro, cantando a grito herido, e interrumpiendo su canción para arrear el borriquillo en que conducen la carga de leña, atraviesan impávidas con fríos y calores, con nieves o tormentas, las tres leguas mortales de precipicios y alturas que hay desde su lugar a Tarazona. Últimamente, como ya dije a ustedes en mi anterior, el tiempo y mis dolencias, poniéndose de acuerdo para dar un punto de reposo, el uno en sus continuas variaciones y las otras en sus diarias incomodidades, me han permitido satisfacer en parte la curiosidad, visitando lugares del Somontano, entre los que se encuentra Añón, sin duda alguna el más original por sus costumbres y el más pintoresco por sus alrededores y posición topográfica. En mi corta visita a este lugar, me expliqué perfectamente por qué en el aire y en la fisonomía de las añoneras hay algo de extraordinario, algo que las particulariza y distingue de entre todas las mujeres del país. Sus costumbres, su educación especial y su género de vida, son, en efecto, diversos de los de aquellos pueblos. Añón, que en otra época perteneció a los caballeros de San Juan, cuya Orden mantiene aún en él un priorato, está situado sobre una altura en el punto en que comienza el áspero bosque de

carrascas, que cubren como una sábana de verdura la base del monte.

Cuando lo tenían por sí los caballeros de la Orden hospitalaria, debió ser lugar fuerte y cerrado: hoy sólo quedan como testigos de su pasado esplendor las colosales ruinas de un castillo de inmensas proporciones, y algunos lienzos de muro que ya se esconden, ya aparecen por entre los rojizos tejados de las casas que se agrupan en derredor de estos despojos. Cada uno de los pueblos de estas cercanías tiene una reducida llanura propia para el cultivo; sólo Añón, encaramado sobre sus rocas, sin el recurso siquiera del monte, que ya no le pertenece, sin otras tierras para sembrar que los pequeños remansos que forma una de sus laderas que se degrada en ásperos escalones, necesita apelar a su ingenio y a un trabajo rudo y peligroso para sostenerse. Yo no sabré decir a ustedes si esto proviene de que los hombres se ocupaban de muy antiguo en el servicio de los caballeros, por lo cual tenían abandonadas sus casas al dominio de las mujeres, o de otra causa cualquiera que yo no me he podido explicar; ello es, que en este pueblo hay algo de lo que nos refieren las fábulas de las amazonas, o de lo que habrán ustedes tenido ocasión de ver en la *Isla de San Balandrán*. No es esto decir que el sexo feo y fuerte deje de serlo tanto, cuanto es necesario para justificar ampliamente estos apelativos; pero la población femenina se agita tan en primer término, desempeña un papel tan activo en la vida pública, trabaja y va y viene de un punto a otro con tal resolución y desenfado, que puede asegurarse que ella es la que da el carácter al lugar, y la que lo hace conocido y famoso en veinte leguas a la redonda. En la plaza de Tarazona, teatro de sus habilidades, en los caminos que atraviesa cantando, en el monte, a donde va a buscar furtivamente su mercancía, en las fiestas del lugar, en cualquier parte que se encuentre, si una vez se ha visto una añonera, es imposible confundirla con las demás aldeanas.

La escasa comunicación que tienen estos pueblecillos entre sí, son el origen de las radicales diferencias que se notan a primera vista entre los habitantes, aun de los más próximos. Dentro del tipo aragonés, que es el general a todos ellos, hay infinitos matices que caracterizan a cada región de la provincia, a cada aldea de por sí. El tipo de las año-

neras es uno con muy leves alteraciones: su traje idéntico, sus costumbres y su índole las mismas siempre.

Más esbeltas que altas, en lo erguido del talle, en el brío con que caminan, en la elasticidad de sus músculos, en la prontitud de todos sus movimientos, revelan la fuerza de que están dotadas y la resolución de su ánimo. Sus facciones, curtidas por el viento y el sol, ofrecen rasgos perfectamente regulares, mezclándose en ellas con extraña armonía la volubilidad y ese no sé qué imposible de definir que constituye la gracia, con esa leve expresión de la osadía que dilata imperceptiblemente la nariz y pliega el labio en ademán desdeñoso. Nada más pintoresco y sencillo a la vez que su traje. Un apretador de colores vivos les ciñe la cintura y deja ver la camisa, blanca como la nieve, que se pliega en derredor del cuello, sobre el que se levanta erguida, morena y varonil, la cabeza coronada de cabellos oscuros y abundantes. Una saya corta, airosa y encarnada o amarilla, les llega justamente hasta el punto de la pierna en que se atan las abarcas con un listón negro, que sube serpenteando sobre la media azul hasta bastante más arriba del tobillo.

Acostumbradas casi desde que nacen a saltar de roca en roca por entre las quebraduras del monte, su pie adquiere esa firmeza peculiar en todos los habitantes de las montañas, hasta el punto de que algunas veces da miedo cuando se las mira atravesar un sendero estrecho que bordea un barranco, emparejadas con el borriquillo que conduce la leña y saltando de una piedra en otra de las que costean el camino. Así andan las leguas, tal vez en ayunas, pero siempre riendo, siempre cantando, siempre de humor para cambiar una cuchufleta con sus compañeros de viaje. Y no hay miedo de que su cabeza vacile al atravesar un sitio peligroso, o su ligero paso se acorte al llegar a lo último de la penosa jornada; su vista tiene algo de la fijeza e intensidad de la del águila, acaso porque como ella se ha acostumbrado a medir indiferente los abismos; sus miembros, endurecidos con la costumbre del trabajo, soportan las fatigas más rudas, sin que el cansancio los entorpezca un instante.

Sólo de este modo les es posible vivir en medio de la miseria que las agobia. Cuando la noche es más oscura; cuando la nieve borra hasta las lindes de los senderos; cuando supone que los guardas de los montes del Estado no se atreverán a aventurarse por aquellas brechas profundas y

aquellos bosques de árboles intrincados y sombríos, enton-
ces la añonera, desafiando todos los peligros, adivinando las
sendas, sufriendo el temporal, escuchando por uno y otro
lado los aullidos de los lobos, sale furtivamente de su lugar.
Más bien que baja, puede decirse que se descuelga de roca
en roca hasta el último valle que lo separa del Moncayo;
armada de hacha penetra en el laberinto de carrascas os-
curas, a cuyo pie nacen espinos y zarzas en montón, y des-
cargando rudos golpes con una fuerza y una agilidad in-
concebibles, hace su acopio de leña, que después oculta para
conducirla poco a poco, primero a su casa y más tarde a
Tarazona, donde recibe por su trabajo material, por los pe-
ligros que afronta y las fatigas que sufre seis o siete rea-
les a lo sumo. Francamente hablando, hay en este mundo
desigualdades que asustan.

¿Quién puede sospechar que a la misma hora en que nues-
tras grandes damas de la corte se agrupan en el peristilo del
teatro Real, envueltas en sus calientes y vistosos alborno-
ces, y esperan el carruaje que ha de conducirlas sobre blan-
dos almohadones de seda a su palacio, otras mujeres, her-
mosas quizá como ellas, como ellas débiles al nacer, sacu-
den de cuando en cuando la cabeza de un lado a otro para
desparcir la nieve que se les amontona encima, en tanto que
rodeadas de oscuridad profunda, de peligros y de sobresal-
tos, hacen resonar el bosque con el crujido de los troncos
que caen derribados a los golpes del hacha?

Grandes, inmensas desigualdades existen, no cabe duda;
pero también es cierto que todas tienen su compensación.
Yo he visto levantarse agitado y dejar escapar un compri-
mido sollozo a más de un pecho cubierto de leve gasa y
seda; yo he visto a más de una altiva frente inclinarse tris-
te y sin color como agobiada bajo el peso de su espléndida
diadema de pedrería; en cambio, hoy como ayer, sigue des-
pertándose el alegre canto de las añoneras que pasan por
delante de las puertas del monasterio para dirigirse a Ta-
razona; mañana, como hoy, si salgo al camino o voy a bus-
carlas al mercado, las encontraré riendo y en continua bro-
ma, felices con sus seis reales, satisfechas, porque llevarán
un pan negro a su familia, ufanas con la satisfacción de que
a ellas se deben la burda saya que visten, y el bocado de pan
que comen.

Dios, aunque invisible, tiene siempre una mano tendida

para levantar por un extremo la carga que abruma al pobre. Si no, ¿quién subiría la áspera cumbre de la vida con el pesado fardo de la miseria al hombro?

CARTA SEXTA

QUERIDOS amigos: Hará cosa de dos o tres años, tal vez leerían ustedes en los periódicos de Zaragoza la relación de un crimen que tuvo lugar en uno de los pueblecillos de estos contornos. Tratábase del asesinato de una pobre vieja a quien sus convecinos acusaban de bruja. Últimamente, y por una coincidencia extraña, he tenido ocasión de conocer los detalles y la historia circunstanciada de un hecho que se comprende apenas en mitad de un siglo tan despreocupado como el nuestro.

Ya estaba para acabar el día. El cielo, que desde el amanecer se mantuvo cubierto y nebuloso, comenzaba a oscurecerse a medida que el sol, que antes transparentaba su luz a través de las nieblas, iba debilitándose, cuando, con la esperanza de ver su famoso castillo como término y remate de mi artística expedición, dejé a Litago para encaminarme a Trasmoz, pueblo del que me separaba una distancia de tres cuartos de hora por el camino más corto. Como de costumbre, y exponiéndome, a trueque de examinar a mi gusto los parajes más ásperos y accidentados, a las fatigas y la incomodidad de perder el camino por entre aquellas zarzas y peñascales, tomé el más difícil, el más dudoso y más largo, y lo perdí en efecto, a pesar de las minuciosas instrucciones de que me pertreché a la salida del lugar.

Ya enzarzado en lo más espeso y fragoso del monte, llevando del diestro la caballería por entre sendas casi impracticables, ora por las cumbres para descubrir la salida del laberinto, ora por las honduras con la idea de cortar terreno, anduve vagando al azar un buen espacio de tarde, hasta que por último, en el fondo de una cortadura tropecé con un pastor, el cual abrevaba su ganado en el riachuelo que, después de deslizarse sobre un cauce de piedras de mil colores, salta y se retuerce allí con un ruido particular que se oye a gran distancia, en medio del profundo silencio de la

naturaleza que en aquel punto y a aquella hora parece muda o dormida.

Pregunté al pastor el camino del pueblo, el cual según mis cuentas no debía distar mucho del sitio en que nos encontrábamos, pues aunque sin senda fija, yo había procurado adelantar siempre en la dirección que me habían indicado. Satisfizo el buen hombre mi pregunta lo mejor que pudo, y ya me disponía a proseguir mi azarosa jornada, subiendo con pies y manos y tirando de la caballería como Dios me daba a entender, por entre unos pedruscos erizados de matorrales y puntas, cuando el pastor que me veía subir desde lejos, me dio una gran voz advirtiéndome que no tomara la *senda de la tía Casca*, si quería llegar sano y salvo a la cumbre. La verdad era que el camino, que equivocadamente había tomado, se hacía cada vez más áspero y difícil y que por una parte la sombra que ya arrojaban las altísimas rocas, que parecían suspendidas sobre mi cabeza, y por otro el ruido vertiginoso del agua que corría profunda a mis pies, y de la que comenzaba a elevarse una niebla inquieta y azul, que se extendía por la cortadura borrando los objetos y los colores, parecían contribuir a turbar la vista y conmover el ánimo con una sensación de penoso malestar que vulgarmente podría llamarse preludio de miedo. Volví pies atrás, bajé de nuevo hasta donde se encontraba el pastor, y mientras seguíamos juntos por una trocha que se dirigía al pueblo, adonde también iba a pasar la noche mi improvisado guía, no pude menos de preguntarle con alguna insistencia, por qué, aparte de las dificultades que ofrecía el ascenso, era tan peligroso subir a la cumbre por la senda que llamó de la *tía Casca*.

—Porque antes de terminar la senda —me dijo con el tono más natural del mundo— tendríais que costear el precipicio a que cayó la maldita bruja que le da su nombre, y en el cual se cuenta que anda penando el alma que, después de dejar el cuerpo, ni Dios ni el diablo han querido para suya.

—¡Hola! —exclamé entonces como sorprendido, aunque, a decir verdad, ya me esperaba una contestación de esta o parecida clase—. Y ¿en qué diantre se entretiene el alma de esa pobre vieja por estos andurriales?

—En acosar y perseguir a los infelices pastores que se arriesgan por esa parte del monte, ya haciendo ruido entre

las matas, como si fuese un lobo, ya dando quejidos lasti-
meros como de criatura, o acurrucándose en las quiebras
de las rocas que están en el fondo del precipicio, desde don-
de llama con su mano amarilla y seca a los que van por el
borde, les clava la mirada de sus ojos de búho, y cuando el
vértigo comienza a desvanecer su cabeza, da un gran salto,
se les agarra a los pies y pugna hasta despeñarlos en la
sima... ¡Ah, maldita bruja! —exclamó después de un mo-
mento el pastor tendiendo el puño crispado hacia las rocas
como amenazándola—; ¡ah! maldita bruja, muchas hiciste
en vida, y ni aun muerta hemos logrado que nos dejes en
paz; pero, no haya cuidado, que a ti y tu endiablada raza
de hechiceras os hemos de aplastar una a una como a ví-
boras.

—Por lo que veo —insistí, después que hubo concluido su
extravagante imprecación—, está usted muy al corriente de
las fechorías de esa mujer. Por ventura, ¿alcanzó usted a co-
nocerla? Porque no me parece de tanta edad como para ha-
ber vivido en el tiempo en que las brujas andaban todavía
por el mundo.

Al oír estas palabras el pastor, que caminaba delante de
mí para mostrarme la senda, se detuvo un poco, y fijando
en los míos sus asombrados ojos, como para conocer si me
burlaba, exclamó con un acento de buena fe pasmosa:

—¡Que no le parezco a usted de edad bastante para ha-
berla conocido! Pues ¿y si yo le dijera que no hace aún tres
años cabales que con estos mismos ojos que se ha de comer
la tierra, la vi caer por lo alto de ese derrumbadero, dejando
en cada uno de los peñascos y de las zarzas un jirón de ves-
tido o de carne, hasta que llegó al fondo donde se quedó
aplastada como un sapo que se pisa con el pie?

—Entonces —respondí asombrado a mi vez de la credu-
lidad de aquel pobre hombre— daré crédito a lo que usted
dice, sin objetar palabra; aunque a mí se me había figura-
do —añadí recalcando estas últimas frases para ver el efec-
to que le hacían— que todo eso de las brujas y los hechi-
zos no eran sino antiguas y absurdas patrañas de las aldeas.

—Eso dicen los señores de la ciudad, porque a ellos no
les molestan; y fundados en que todo es puro cuento, echa-
ron a presidio a algunos infelices que nos hicieron un bien
de caridad a la gente del Somontano, despeñando a esa mala
mujer.

—¿Conque no cayó casualmente ella, sino que la hicieron rodar, que quieras que no? ¡A ver, a ver! Cuénteme usted cómo pasó eso, porque debe ser curioso —añadí, mostrando toda la credulidad y el asombro suficiente, para que el buen hombre no maliciase que sólo quería distraerme un rato, oyendo sus sandeces; pues es de advertir que hasta que no me refirió los pormenores del suceso, no hice memoria de que, en efecto, yo había leído en los periódicos de provincia una cosa semejante. El pastor, convencido por las muestras de interés con que me disponía a escuchar su relato, de que yo no era uno de *esos señores de la ciudad*, dispuesto a tratar de majaderías su historia, levantó la mano en dirección a uno de los picachos de la cumbre, y comenzó así, señalándome una de las rocas que se destacaba oscura e imponente sobre el fondo gris del cielo, que el sol, al ponerse tras las nubes, teñía de algunos cambiantes rojizos.

—¿Ve usted aquel cabezo alto, alto, que parece cortado a pico, y por entre cuyas peñas crecen las aliagas y los zarzales? Me parece que sucedió ayer. Yo estaba algunos doscientos pasos camino atrás de donde nos encontramos en este momento; próximamente sería la misma hora, cuando creí escuchar unos alaridos distantes, y llantos e imprecaciones que se entremezclaban con voces varoniles y coléricas que ya se oían por un lado, ya por otro, como de pastores que persiguen un lobo por entre los zarzales. El sol, según digo, estaba al ponerse, y por detrás de la altura se descubría un jirón del cielo, rojo y encendido como la grana, sobre el que vi aparecer alta, seca y haraposa, semejante a un esqueleto que se escapa de su fosa, envuelto aún en los jirones del sudario, una vieja horrible, en la que conocí a la *tía Casca*. La *tía Casca* era famosa en todos estos contornos, y me bastó distinguir sus greñas blancuzcas que se enredaban alrededor de su frente como culebras, sus formas extravagantes, su cuerpo encorvado y sus brazos disformes, que se destacaban angulosos y oscuros sobre el fondo de fuego del horizonte, para reconocer en ella a la bruja de Trasmoz. Al llegar ésta al borde del precipicio, se detuvo un instante sin saber qué partido tomar. Las voces de los que parecían perseguirla sonaban cada vez más cerca, y de cuando en cuando la veía hacer una contorsión, encogerse o dar un brinco para evitar los cantazos que le arrojaban.

Sin duda no traía el bote de sus endiablados untos, porque, a traerlo, seguro que habría atravesado al vuelo la cortadura, dejando a sus perseguidores burlados y jadeantes como lebreles que pierden la pista. ¡Dios no lo quiso así, permitiendo que de una vez pagara todas sus maldades!... Llegaron los mozos que venían en su seguimiento, y la cumbre se coronó de gentes, éstos con piedras en las manos, aquéllos con garrotes, los de más allá con cuchillos. Entonces comenzó una cosa horrible. La vieja, ¡maldita hipocritona!, viéndose sin huida, se arrojó al suelo, se arrastró por la tierra besando los pies de los unos, abrazándose a las rodillas de los otros, implorando en su ayuda a la Virgen y a los santos, cuyos nombres sonaban en su condenada boca como una blasfemia. Pero los mozos, así hacían caso de sus lamentos como yo de la lluvia cuando estoy bajo techado. «Yo soy una pobre vieja que no he hecho daño a nadie; no tengo hijos ni parientes que me vengan a amparar; ¡perdonadme, tened compasión de mí!», aullaba la bruja; y uno de los mozos, que con la una mano la había asido de las greñas, mientras tenía en la otra la navaja que procuraba abrir con los dientes, la contestaba rugiendo de cólera: «¡Ah, bruja de Lucifer, ya es tarde para lamentaciones, ya te conocemos todos!» «¡Tú hiciste un mal a mi mulo, que desde entonces no quiso probar bocado, y murió de hambre dejándome en la miseria!», decía uno. «¡Tú has hecho mal de ojo a mi hijo, y lo sacas de la cuna y lo azotas por las noches!», añadía el otro: y cada cual exclamaba por su lado: «¡Tú has echado una suerte a mi hermana! ¡Tú has ligado a mi novia! ¡Tú has emponzoñado la hierba! ¡Tú has embrujado al pueblo entero!»

»Yo permanecía inmóvil en el mismo punto en que me había sorprendido aquel clamoreo infernal, y no acertaba a mover pie ni mano, pendiente del resultado de aquella lucha.

»La voz de la *tía Casca*, aguda y estridente, dominaba el tumulto de todas las otras voces que se reunían para acusarla, dándole en el rostro con sus delitos, y siempre gimiendo, siempre sollozando, seguía poniendo a Dios y a los santos Patronos del lugar por testigos de su inocencia.

»Por último, viendo perdida toda esperanza, pidió como última merced que la dejasen un instante implorar del cielo, antes de morir, el perdón de sus culpas, y de rodillas al borde de la cortadura como estaba, la vieja inclinó la ca-

beza, juntó las manos y comenzó a murmurar entre dientes qué sé yo qué imprecaciones ininteligibles: palabras que yo no podía oír por la distancia que me separaba de ella, pero que ni los mismos que estaban a su lado lograron entender. Unos aseguran que hablaba en latín, otros que en una lengua salvaje y desconocida, no faltando quien pudo comprender que en efecto rezaba, aunque diciendo las oraciones al revés, como es costumbre de estas malas mujeres.

En este punto se detuvo el pastor un momento, tendió a su alrededor una mirada, y prosiguió así:

—¿Siente usted este profundo silencio que reina en todo el monte, que no suena un guijarro, que no se mueve una hoja, que el aire está inmóvil y pesa sobre los hombros y parece que aplasta? ¿Ve usted esos jirones de niebla oscura que se deslizan poco a poco a lo largo de la inmensa pendiente del Moncayo, como si sus cavidades no bastaran a contenerlos? ¿Los ve usted cómo se adelantan mudos y con lentitud, como una legión aérea que se mueve por un impulso invisible? El mismo silencio de muerte había entonces, el mismo aspecto extraño y temeroso ofrecía la niebla de la tarde, arremolinada en las lejanas cumbres, todo el tiempo que duró aquella suspensión angustiosa. Yo lo confieso con toda franqueza: llegué a tener miedo. ¿Quién sabía si la bruja aprovechaba aquellos instantes para hacer uno de esos terribles conjuros que sacan a los muertos de sus sepulturas, estremecen el fondo de los abismos y traen a la superficie de la tierra, obedientes a sus imprecaciones, hasta a los más rebeldes espíritus infernales? La vieja rezaba, rezaba sin parar; los mozos permanecían en tanto inmóviles cual si estuviesen encadenados por un sortilegio, y las nieblas oscuras seguían avanzando y envolviendo las peñas, en derredor de las cuales fingían mil figuras extrañas como de monstruos deformes, cocodrilos rojos y negros, bultos colosales de mujeres envueltas en paños blancos, y listas largas de vapor que, heridas por la última luz del crepúsculo, semejaban inmensas serpientes de colores.

»Fija la mirada en aquel fantástico ejército de nubes que parecían correr al asalto de la peña sobre cuyo pico iba a morir la bruja, yo estaba esperando por instantes cuándo se abrían sus senos para abortar a la diabólica multitud de espíritus malignos, comenzando una lucha horrible al borde del derrumbadero, entre los que estaban allí para

hacer justicia en la bruja y los demonios que, en pago de sus muchos servicios, vinieran a ayudarla en aquel amargo trance.

—Y por fin —exclamé interrumpiendo el animado cuento de mi interlocutor, e impaciente ya por conocer el desenlace—, ¿en qué acabó todo ello? ¿Mataron a la vieja? Porque yo creo que por muchos conjuros que recitara la bruja y muchas señales que usted viese en las nubes, y en cuanto le rodeaba, los espíritus malignos se mantendrían quietecitos cada cual en su agujero; sin mezclarse para nada en las cosas de la tierra. ¿No fue así?

—Así fue, en efecto. Bien porque en su turbación la bruja no acertara con la fórmula, o, lo que yo más creo, por ser viernes, día en que murió Nuestro Señor Jesucristo, y no haber acabado aún las vísperas durante las que los malos no tienen poder alguno, ello es que, viendo que no concluía nunca con su endiablada monserga, un mozo la dijo que acabase y levantando en alto el cuchillo, se dispuso a herirla. La vieja entonces, tan humilde, tan hipocritona hasta aquel punto, se puso de pie con un movimiento tan rápido como el de una culebra enroscada a la que se pisa y despliega sus anillos irguiéndose llena de cólera. «¡Oh! no; ¡no quiero morir, no quiero morir! —decía—; ¡dejadme, u os morderé las manos con que me sujetáis!...» Pero aún no había pronunciado estas palabras, abalanzándose a sus perseguidores, fuera de sí, con las greñas sueltas, los ojos inyectados en sangre, y la hedionda boca entreabierta y llena de espuma, cuando la oí arrojar un alarido espantoso, llevarse por dos o tres veces las manos al costado con grande precipitación, mirárselas y volvérselas a mirar maquinalmente, y por último, dando tres o cuatro pasos vacilantes como si estuviese borracha, la vi caer al derrumbadero. Uno de los mozos a quien la bruja hechizó una hermana, la más hermosa, la más buena del lugar, la había herido de muerte en el momento en que sintió que le clavaba en el brazo sus dientes negros y puntiagudos. ¿Pero cree usted que acabó ahí la cosa? Nada menos que eso: la vieja de Lucifer tenía siete vidas como los gatos. Cayó por un derrumbadero donde cualquiera otro a quien se le resbalase un pie no pararía hasta lo más hondo, y ella, sin embargo, tal vez porque el diablo le quitó el golpe o porque los harapos de las sayas la enredaron en los zarzales, quedó suspendida de uno

de los picos que erizan la cortadura, barajándose y retor-
ciéndose allí como un reptil colgado por la cola. ¡Dios, cómo
blasfemaba! ¡Qué imprecaciones tan horribles salían de su
boca! Se estremecían las carnes y se ponían de punta los
cabellos sólo de oírla... Los mozos seguían desde lo alto
todas sus grotescas evoluciones, esperando el instante en
que se desgarraría el último jirón de la saya a que estaba
sujeta, y rodaría dando tumbos, de pico en pico, hasta el
fondo del barranco; pero ella con el ansia de la muerte y
sin cesar de proferir, ora horribles blasfemias, ora palabras
santas mezcladas de maldiciones, se enroscaba en derredor
de los matorrales; sus dedos largos, huesosos y sangrien-
tos, se agarraban como tenazas a las hendiduras de las ro-
cas, de modo que ayudándose de las rodillas, de los dientes,
de los pies y de las manos, quizá hubiese conseguido subir
hasta el borde, si algunos de los que la contemplaban y que
llegaron a temerlo así, no hubiesen levantado en alto una
piedra gruesa, con la que le dieron tal cantazo en el pecho,
que piedra y bruja bajaron a la vez saltando de escalón en
escalón por entre aquellas puntas calcáreas, afiladas como
cuchillos, hasta dar, por último, en ese arroyo que se ve en
lo más profundo del valle... Una vez allí, la bruja permane-
ció un largo rato inmóvil, con la cara hundida entre el léga-
mo y el fango del arroyo que corría enrojecido con la san-
gre; después, poco a poco, comenzó como a volver en sí y
agitarse convulsivamente. El agua cenagosa y sangrienta sal-
taba en derredor batida por sus manos, que de vez en cuan-
do se levantaban en el aire crispadas y horribles, no sé si
implorando piedad, o amenazando aún en las últimas an-
sias... Así estuvo algún tiempo removiéndose y queriendo
inútilmente sacar la cabeza fuera de la corriente buscando
un poco de aire, hasta que al fin se desplomó muerta; muer-
ta del todo, pues los que la habíamos visto caer y conocía-
mos de lo que es capaz una hechicera tan astuta como la
tía Casca, no apartamos de ella los ojos hasta que comple-
tamente entrada la noche, la oscuridad nos impidió distin-
guirla, y en todo este tiempo no movió pie ni mano; de
modo que si la herida y los golpes no fueron bastantes a
acabarla, es seguro que se ahogó en el riachuelo cuyas aguas
tantas veces había embrujado en vida para hacer morir
nuestras reses. ¡Quien en mal anda, en mal acaba!, excla-
mamos después de mirar una última vez al fondo oscuro

del despeñadero; y santiguándonos santamente y pidiendo a Dios nos ayudase en todas las ocasiones, como en aquélla, contra el diablo y los suyos, emprendimos bastante despacio la vuelta al pueblo, en cuya desvencijada torre las campanas llamaban a la oración a los vecinos devotos.

Cuando el pastor terminó su relato, llegábamos precisamente a la cumbre más cercana al pueblo, desde donde se ofreció a mi vista el castillo oscuro e imponente con su alta torre del homenaje, de la que sólo queda en pie un lienzo de muro con dos saeteras, que trasparentaban la luz y parecían los ojos de un fantasma. En aquel castillo, que tiene por cimiento la pizarra negra de que está formado el monte, y cuyas vetustas murallas, hechas de pedruscos enormes, parecen obras de titanes, es fama que las brujas de los contornos tienen sus nocturnos conciliábulos.

La noche había cerrado ya, sombría y nebulosa. La luna se dejaba ver a intervalos por entre los jirones de las nubes que volaban en derredor nuestro, rozando casi con la tierra, y las campanas de Trasmoz dejaban oír lentamente el toque de oraciones, como el final de la horrible historia que me acababan de referir.

Ahora que estoy en mi celda tranquilo, escribiendo para ustedes la relación de estas impresiones extrañas, no puedo menos de maravillarme y dolerme de que las viejas supersticiones tengan todavía tan hondas raíces entre las gentes de las aldeas, que den lugar a sucesos semejantes; pero ¿por qué no he de confesarlo?, sonándome aún las últimas palabras de aquella temerosa relación, teniendo junto a mí a aquel hombre que tan de buena fe imploraba la protección divina para llevar a cabo crímenes espantosos, viendo a mis pies el abismo negro y profundo en donde se revolvía el agua entre las tinieblas, imitando gemidos y lamentos, y en lontananza el castillo tradicional, coronado de almenas oscuras, que parecían fantasmas asomados a los muros, sentí una impresión angustiosa, mis cabellos se erizaron involuntariamente, y la razón, dominada por la fantasía, a la que todo ayudaba, el sitio, la hora y el silencio de la noche, vaciló un punto, y casi creí que las absurdas consejas de las brujerías y los maleficios pudieran ser posibles.

Postdata.—Al terminar esta carta y cuando ya me disponía a escribir el sobre, la muchacha que me sirve y que ha concluido en este instante de arreglar los trebejos de la

cocina y de apagar la lumbre, armada de un enorme candil de hierro, se ha colocado junto a mi mesa a esperar, como tiene de costumbre siempre que me ve escribir de noche, que le entregue la carta que ella a su vez dará mañana al correo, el cual baja de Añón a Tarazona al romper el día. Sabiendo que es de un lugar inmediato a Trasmoz y que en este último pueblo tiene gran parte de su familia, me ha ocurrido preguntarle si conoció a la *tía Casca*, y si sabe alguna particularidad de sus hechizos famosos en todo el Somontano. No pueden ustedes figurarse la cara que ha puesto al oír el nombre de la bruja, ni la expresión de medrosa inquietud con que ha vuelto la vista a su alrededor, procurando iluminar con el candil los rincones oscuros de la celda, antes de responderme. Después de practicada esta operación, y con voz baja y alterada, sin contestar a mi interpelación, me ha preguntado a su vez:

—¿Sabe usted en qué día de la semana estamos?

—No, chica —le respondí—; pero ¿a qué conduce saber el día de la semana?

—Porque si es viernes, no puedo despegar los labios sobre ese asunto. Los viernes, en memoria de que Nuestro Señor Jesucristo murió en semejante día, no pueden las brujas hacer mal a nadie; pero en cambio oyen desde su casa cuanto se dice de ellas, aunque sea al oído y en el último rincón del mundo.

—Tranquilízate por ese lado, pues a lo que yo puedo colegir de la proximidad del último domingo, todo lo más, andaremos por el martes o el miércoles.

—No es esto decir que yo le tenga miedo a la bruja, pues de los míos sólo a mi hermana la mayor, al *pequeñico* y a mi padre puede hacerles mal.

—¡Calle!, ¿y en qué consiste el privilegio?

—En que al echarnos el agua no se equivocó el cura ni dejó olvidada ninguna palabra del Credo.

—¿Y eso se lo has ido tú a preguntar al cura, tal vez?

—¡Quia! No, señor; el cura no se acordaría. Se lo hemos preguntado a un cedazo.

—Que es el que debe saberlo... No me parece mal. ¿Y cómo se entra en conversación con un cedazo? Porque eso debe ser curioso.

—Verá usted... después de las doce de la noche, pues las brujas que lo quisieran impedir no tienen poder sino desde

las ocho hasta esa hora, se toma el cedazo, se hacen sobre él tres cruces con la mano izquierda, y suspendiéndole en el aire, tomado por el aro con las puntas de unas tijeras, se le pregunta. Si se ha olvidado alguna palabra del Credo, da vueltas por sí solo, y si no, se está *quietico, quietico*, como la hoja en el árbol cuando no se mueve una paja de aire.

—¿Según eso, tú estás completamente tranquila de que no han de embrujarte?

—Lo que es por mí, completamente; pero sin embargo, mirando por los de la casa, cuido siempre de hacer antes de dormirme una cruz en el hogar con las tenazas para que no entren por la chimenea, y tampoco se me olvida poner la escoba en la puerta con el palo en el suelo.

—¡Ah! vamos; ¿conque la escoba que encuentro algunas mañanas a la puerta de mi habitación con las palmas hacia ariba y que me ha hecho pensar que era uno de tus frecuentes olvidos, no estaba allí sin su misterio? Pero se me ocurre preguntar una cosa: si ya mataron a la bruja, y, una vez muerta, su alma no puede salir del precipicio donde por permisión divina anda penando, ¿contra quién tomas esas precauciones?

—¡Toma, toma! Mataron a una; pero como que son una familia entera y verdadera que desde hace un siglo o dos vienen heredando el unto de unas en otras, se acabó con una *tía Casca;* pero queda su hermana, y cuando acaben con ésta, que acabarán también, le sucederá su hija, que aún es moza, y ya dicen que tiene sus puntos de hechicera.

—¿Según lo que veo, ésa es una dinastía secular de brujas que se vienen sucediendo regularmente por la línea femenina desde los tiempos más remotos?

—Yo no sé lo que son; pero lo que puedo decirle es, que acerca de estas mujeres se cuenta en el pueblo una historia muy particular, que yo he oído referir algunas veces en las noches de invierno.

—Pues vaya, deja ese candil en el suelo, acerca una silla y refiéreme esa historia, que yo me parezco a los niños en mis aficiones.

—Es que esto no es cuento.

—O historia, como tú quieras —añadí por último, para tranquilizarla respecto a la entera fe con que sería acogida la relación por mi parte.

La muchacha, después de colgar el candil en un clavo, y de pie a una respetuosa distancia de la mesa, por no querer sentarse, a pesar de mis instancias, me ha referido la historia de las brujas de Trasmoz, historia original que yo a mi vez contaré a ustedes otro día, pues ahora voy a acostarme con la cabeza llena de brujas, hechicerías y conjuros, pero tranquilo, porque, al dirigirme a mi alcoba, he visto el escobón junto a la puerta haciéndome la guardia, más tieso y formal que un alabardero en día de ceremonia.

CARTA SÉPTIMA

Queridos amigos: Prometí a ustedes, en mi última carta, referirles, tal como me la contaron la maravillosa historia de las brujas de Trasmoz. Tomo, pues, la pluma para cumplir lo prometido, y va de cuento.

Desde tiempo inmemorial, es artículo de fe entre las gentes del Somontano, que Trasmoz es la corte y punto de cita de las brujas más importantes de la comarca. Su castillo, como los tradicionales campos de Barahona y el valle famoso de Zugarramurdi, pertenece a la categoría de conventículo de primer orden y lugar clásico para las grandes fiestas nocturnas de las amazonas de escobón, los sapos con collareta y toda la abigarrada servidumbre del macho cabrío, su ídolo y jefe. Acerca de la fundación de este castillo, cuyas colosales ruinas, cuyas torres oscuras y dentelladas, patios sombríos y profundos fosos, parecen, en efecto, digna escena de tan diabólicos personajes, se refiere una tradición muy antigua. Parece que *en tiempo de los moros*, época que para nuestros campesinos corresponde a las edades mitológicas y fabulosas de la historia, pasó el rey por las cercanías del sitio en que ahora se halla Trasmoz y viendo con maravilla un punto como aquél, donde gracias a la altura, las rápidas pendientes y los cortes a plomo de la roca, podía el hombre, ayudado de la naturaleza, hacer un lugar fuerte e inexpugnable de grande utilidad por encontrarse próximo a la raya fronteriza, exclamó volviéndose a los que iban en su seguimiento, y tendiendo la mano en dirección a la cumbre:

—De buena gana tendría allí un castillo.

Oyóle un pobre viejo, que apoyado en un báculo de caminante y con unas miserables alforjillas al hombro, pasaba a la sazón por el mismo sitio, y adelantándose hasta salir al encuentro y a riesgo de ser atropellado por la comitiva real, detuvo por la brida el caballo de su señor y le dijo estas solas palabras:

—Si me le dais en alcaidía perpetua, yo me comprometo a llevaros mañana a vuestro palacio sus llaves de oro.

Rieron grandemente el rey y los suyos de la extravagante proposición del mendigo, de modo que arrojándole una pequeña pieza de plata al suelo, a manera de limosna, contestóle el soberano con aire de zumba:

—Tomad esa moneda para que compréis unas cebollas y un pedazo de pan con qué desayunaros, señor alcaide de la improvisada fortaleza de Trasmoz, y dejadnos en paz proseguir nuestro camino.

Y, esto diciendo, le apartó suavemente a un lado de la senda, tocó el ijar de su corcel con el acicate, y se alejó seguido de sus capitanes, cuyas armaduras, incrustadas en arabescos de oro, resonaban y resplandecían al compás del galope, mal ocultas, por los blancos y flotantes alquiceles.

—¿Luego me confirmáis en la alcaidía? —añadió el pobre viejo, en tanto que se bajaba para recoger la moneda, y dirigiéndose en alta voz hacia los que ya apenas se distinguían entre la nube de polvo que levantaron los caballos, un punto detenidos, al arrancar de nuevo.

—Seguramente —díjole el rey desde lejos y cuando ya iba a doblar una de las vueltas del monte—; pero con la condición de que esta noche levantarás el castillo, y mañana irás a Tarazona a entregarme las llaves.

Satisfecho el pobrete con la contestación del rey, alzó, como digo, la moneda del suelo, besóla con muestras de humildad, y después de atarla en un pico del guiñapo blancuzco que le servía de turbante se dirigió poco a poco hacia la aldehuela de Trasmoz. Componían este lugar quince o veinte casuquillas sucias y miserables, refugio de algunos pastores que llevaban a pacer sus ganados al Moncayo. Pasito a pasito, aquí cae, allí tropieza, como el que camina agobiado del doble peso de la edad y de una larga jornada, llegó al fin nuestro hombre al pueblo, y comprando, según se lo había dicho el rey, un mendrugo de pan y tres o cuatro cebollas blancas, jugosas y relucientes, sentóse a comerlas

a la orilla de un arroyo, en el cual los vecinos tenían costumbre de venir a hacer sus abluciones de la tarde, y en donde, una vez instalado, comenzó a despachar su pitanza con tanto gusto, y moviendo sus descarnadas mandíbulas, de las que pendían unas barbillas blancas y claruchas, con tal priesa, que, en efecto, parecería no haberse desayunado en todo lo que iba de día, que no era poco, pues el sol comenzaba a transmontar las cumbres.

Sentado estaba, pues, nuestro pobre viejo a la orilla del arroyo dando buena cuenta con gentil apetito de su frugal comida, cuando llegó hasta el borde del agua uno de los pastores del lugar, hizo sus acostumbradas zalemas, vuelto hacia el Oriente, y concluida esta operación, comenzó a lavarse las manos y el rostro, murmurando sus rezos de la tarde. Tras éste vinieron otros cuantos, hasta cinco o seis, y cuando todos hubieron concluido de rezar y remojarse el cogote, llamólos el viejo y les dijo:

—Veo con gusto que sois buenos musulmanes y que ni las ordinarias ocupaciones, ni las fatigas de vuestros ejercicios os distraen de las santas ceremonias que a sus fieles dejó encomendadas el Profeta. El verdadero creyente, tarde o temprano, alcanza el premio; unos lo recogen en la tierra, otros en el paraíso, no faltando a quienes se les da en ambas partes, y de éstos seréis vosotros.

Los pastores, que durante la arenga no habían apartado un punto sus ojos del mendigo, pues por tal le juzgaron al ver su mal pelaje y peor desayuno, se miraban entre sí, después de concluido, como no comprendiendo adónde iría a parar aquella introducción si no era a pedir limosna; pero con grande asombro de los circunstantes, prosiguió de este modo su discurso:

—He aquí que yo vengo de una tierra lejana a buscar servidores leales para la guarda y custodia de un famoso castillo. Yo me he sentado al borde de las fuentes que saltan sobre una taza de pórfido, a la sombra de las palmeras en las mezquitas de las grandes ciudades, y he visto unos tras otros venir muchos hombres a hacer las abluciones con sus aguas, éstos por mera limpieza, aquéllos por hacer lo mismo que todos, los más por dar el espectáculo de una piedad de fórmula. Después os he visto en estas soledades, lejos de las miradas del mundo, atentos sólo al ojo que vela sobre las acciones de los mortales, cumplir con nuestros ritos, im-

pulsados por la conciencia de un deber, y he dicho para
mí: He aquí hombres fieles a su reigióln; igualmente lo se-
rán a su palabra. De hoy más no vagaréis por los montes
con nieves y fríos para comer un pedazo de pan negro; en
la magnífica fortaleza de que os hablo tendréis alimento
abundante y vida holgada. Tú cuidarás de la atalaya, atento
siempre a las señales de los corredores del campo, y pron-
to a encender la hoguera que brilla en las sombras, como
el penacho de fuego del casco de un arcángel. Tú cuida-
rás del rastrillo y del puente; tú darás vuelta cada tres ho-
ras alrededor de las torres, por entre la barbacana y el
muro. A ti te encargaré de las caballerizas; bajo la guarda
de ése estarán los depósitos de materiales de guerra, y por
último, aquel otro correrá con los almacenes de víveres.

Los pastores, de cada vez más asombrados y suspensos,
no sabían qué juicio formar del improvisado protector que
la casualidad les deparaba, y aunque su aspecto miserable
no convenía del todo bien con sus generosas ofertas, no
faltó alguno que le preguntase entre dudoso y crédulo:

—¿Dónde está ese castillo? Si no se halla muy lejos de
estos lugares, entre cuyas peñas estamos acostumbrados a
vivir, y a los que tenemos el amor que todo hombre tiene
a la tierra que le vio nacer, yo, por mi parte, aceptaría con
gusto tus ofrecimientos, y creo que como yo todos los que se
encuentran presentes.

—Por eso no temáis, pues está bien cerca de aquí —res-
pondió el viejo impasible—; cuando el sol se esconde por de-
trás de las cumbres del Moncayo, su sombra cae sobre vues-
tra aldea.

—¿Y cómo puede ser eso —dijo entonces el pastor—, si
por aquí no hay castillo ni fortaleza alguna, y la primera
sombra que envuelve nuestro lugar es la del cabezo del mon-
te en cuya falda se ha levantado?

—Pues en ese cabezo se halla, porque allí están las pie-
dras, y donde están las piedras está el castillo, como está
la gallina en el huevo y la espiga en el grano —insistió el
extraño personaje, a quien sus interlocutores, irresolutos
hasta aquel punto, no dudaron en calificar de loco de re-
mate.

—¿Y tú serás, sin duda, el gobernador de esa fortaleza
famosa? —exclamó, entre las carcajadas de sus compañe-
ros, otro de los pastores—. Porque a tal castillo tal alcaide.

—Yo lo soy —tornó a contestar el viejo, siempre con la misma calma, y mirando a sus risueños oyentes con una sonrisa particular—. ¿No os parezco digno de tan honroso cargo?

—¡Nada menos que eso! —se apresuraron a responderle—. Pero el sol ha doblado las cumbres, la sombra de vuestro castillo envuelve ya en sus pliegues nuestras pobres chozas. ¡Poderoso y temido alcaide de la invisible fortaleza de Trasmoz, si queréis pasar la noche a cubierto, os podemos ofrecer un poco de paja en el establo de nuestras ovejas; si preferís quedaros al raso, que Alá os tenga en su santa guarda, el Profeta os colme de sus beneficios, y los arcángeles de la noche velen a vuestro alrededor con sus espadas encendidas!

Acompañando estas palabras, dichas en tono de burlesca solemnidad, con profundos y humildes saludos, los pastores tomaron el camino de su pueblo, riendo a carcajadas de la original aventura. Nuestro buen hombre no se alteró, sin embargo, por tan poca cosa, sino que después de acabar con mucho despacio su merienda, tomó en el hueco de la mano algunos sorbos del agua limpia y transparente del arroyo, limpióse con el revés la boca, sacudió las migajas de pan de la túnica, y echándose otra vez las alforjillas al hombro y apoyándose en su nudoso báculo, emprendió de nuevo el camino adelante, en la misma dirección que sus futuros sirvientes.

La noche comenzaba, en efecto, a entrarse fría y oscura. De pico a pico de la elevada cresta del Moncayo se extendían largas bandas de nubes color de plomo, que, arrolladas hasta aquel momento por la influencia del sol, parecían haber esperado a que se ocultase para comenzar a removerse con lentitud, como esos monstruos deformes que produce el mar y que se arrastran trabajosamente en las playas desiertas. El ancho horizonte que se descubría desde las alturas, iba poco a poco palideciendo y pasando del rojo al violado por un punto, mientras por el contrario asomaba la luna, redonda, encendida, grande, como un escudo de batallar, y por el dilatado espacio del cielo las estrellas aparecían unas tras otras, amortiguada su luz por la del astro de la noche.

Nuestro buen viejo, que parecía conocer perfectamente el país, pues nunca vacilaba al escoger las sendas que más

pronto habían de conducirle al término de su peregrinación, dejó a un lado la aldea, y siempre subiendo con bastante fatiga por entre los enormes peñascos y las espesas
carrascas, que entonces como ahora cubrían la áspera pendiente del monte, llegó por último a la cumbre cuando las
sombras se habían apoderado por completo de la tierra, y la
luna, que se dejaba ver a intervalos por entre las oscuras
nubes, se había remontado a la primera región del cielo.
Cualquiera otro hombre, impresionado por la soledad del
sitio, el profundo silencio de la naturaleza y el fantástico
panorama de las sinuosidades del Moncayo, cuyas puntas
coronadas de nieve parecían las olas de un mar inmóvil y
gigantesco, hubiera temido aventurarse por entre aquellos
matorrales, adonde en mitad del día apenas osaban llegar
los pastores, pero el héroe de nuestra relación, que como
ya habrán sospechado ustedes, y si no lo han sospechado,
lo verán claro más adelante, debía ser un magicazo de tomo
y lomo, no satisfecho con haber trepado a la eminencia, se
encaramó en la punta de la más elevada roca, y desde aquel
aéreo asiento comenzó a pasear la vista a su alrededor, con
la misma firmeza que el águila, cuyo nido pende de un peñasco al borde del abismo, contempla sin temor el fondo.

Después que se hubo reposado un instante de las fatigas del camino, sacó de las alforjillas un estuche de forma
particular y extraña, un librote muy carcomido y viejo, y un
cabo de vela verde, corto y a medio consumir. Frotó con
sus dedos descarnados y huesosos en uno de los extremos
del estuche que parecía de metal, y era a modo de linterna,
y a medida que frotaba, veíase como una lumbre sin claridad, azulada, medrosa e inquieta, hasta que por último
brotó una llama y se hizo luz: con aquella luz encendió el
cabo de vela verde, a cuyo escaso resplandor, y no sin haberse calado antes unas disformes antiparras redondas, comenzó a hojear el libro que para mayor comodidad había
puesto delante de sí sobre una de las peñas. Según que el
nigromante iba pasando las hojas del libro llenas de caracteres árabes, caldeos y siriacos trazados con tinta azul, negra, roja y violada, y de figuras y signos misteriosos, murmuraba entre dientes frases ininteligibles, y parando de
cierto en cierto tiempo la lectura, repetía un estribillo singular con una especie de salmodia lúgubre, que acompañaba hiriendo la tierra con el pie y agitando la mano que le

dejaba libre el cuidado de la vela, como si se dirigiese a alguna persona.

Concluida la primera parte de su mágica letanía, en la que, unos tras otros, había ido llamando por sus nombres, que yo no podré repetir, a todos los espíritus del aire y de la tierra, del fuego y de las aguas, comenzó a percibirse en derredor un ruido extraño, un rumor de alas invisibles que se agitaban a la vez, y murmullos confusos, como de muchas gentes que se hablasen al oído. En los días revueltos del otoño, y cuando las nubes amontonadas en el horizonte, parecen amenazar con una lluvia copiosa, pasan las grullas por el cielo, formando un oscuro triángulo con un ruido semejante. Mas lo particular del caso, era que allí a nadie se veía, y aun cuando se percibiese el aleteo cada vez más próximo y el aire agitado moviera en derredor las hojas de los árboles, y el rumor de las palabras dichas en voz baja se hiciese gradualmente más distinto, todo semejaba cosa de ilusión o ensueño. Paseó el mágico la mirada en todas direcciones para contemplar a los que sólo a sus ojos parecían visibles, y satisfecho sin duda del resultado de su primera operación, volvió a la interrumpida lectura. Apenas su voz temblona, cascada y un poco nasal comenzó a dejarse oír pronunciando las enrevesadas palabras del libro, se hizo en torno un silencio tan profundo, que no parecía sino que la tierra, los astros y los genios de la noche estaban pendientes de los labios del nigromante, que ora hablaba con frases dulces y de suave inflexión como quien suplica, ora con acento áspero, enérgico y breve como quien manda. Así leyó largo rato, hasta que al concluir la última hoja se produjo un murmullo en el invisible auditorio, semejante al que forman en los templos las confusas voces de fieles cuando, acabada una oración, todos contestan *amén* en mil diapasones distintos. El viejo, que a medida que rezaba y rezaba aquellos diabólicos conjuros, había ido exaltándose y cobrando una energía y un vigor sobrenaturales, cerró el libro con un gran golpe, dio un soplo a la vela verde, y despojándose de las antiparras redondas, se puso de pie sobre la altísima peña donde estuvo sentado, y desde donde se dominaban las infinitas ondulaciones de la falda del Moncayo, con los valles, las rocas y los abismos que la accidentan. Allí de pie, con la cabeza erguida y los brazos extendidos, el uno al Oriente y el otro al Occidente, alzó la

voz y exclamó dirigiéndose a la infinita muchedumbre de seres invisibles y misteriosos que, encadenados a su palabra por la fuerza de los conjuros, esperaban sumisos sus órdenes:

—¡Espíritus de las aguas y de los aires, vosotros, que sabéis horadar las rocas y abatir los troncos más corpulentos, agitaos y obedecedme!

Primero, suave como cuando levanta el vuelo una banda de palomas; después más fuerte, como cuando azota el mástil de un buque una vela hecha jirones, oyóse el ruido de las alas al plegarse y desplegarse con una prontitud increíble, y aquel ruido fue creciendo, creciendo, hasta que llegó a hacerse espantoso como el de un huracán desencadenado. El agua de los torrentes próximos saltaba y se retorcía en el cauce, espumarajeando e irguiéndose como una culebra furiosa; el aire, agitado y terrible, zumbaba en los huecos de las peñas, levantaba remolinos de polvo y de hojas secas, y sacudía, inclinándolas hasta el suelo, las copas de los árboles. Nada más extraño y horrible que aquella tempestad circunscrita a un punto, mientras la luna se remontaba tranquila y silenciosa por el cielo, y las aéreas y lejanas cumbres de la cordillera parecían bañadas de un sereno y luminoso vapor. Las rocas crujían como si sus grietas se dilatasen, e impulsadas de una fuerza oculta e interior, amenazaban volar hechas mil pedazos. Los troncos más corpulentos arrojaban gemidos y chasqueaban, próximos a hendirse, como si un súbito desenvolvimiento de sus fibras fuese a rajar la endurecida corteza. Al cabo, y después de sentirse sacudido el monte por tres veces, las piedras se desencajaron y los árboles se partieron, y árboles y piedras comenzaron a saltar por los aires en furioso torbellino, cayendo semejante a una lluvia espesa en el lugar que de antemano señaló el nigromante a sus servidores. Los colosales troncos y los inmensos témpanos de granito y pizarra oscura, que eran como arrojados al azar, caían, no obstante, unos sobre otros con admirable orden, e iban formando una cerca altísima a manera de bastión, que el agua de los torrentes arrastrando arenas, menudas piedrecillas y cal de su alvéolo, se encargaba de completar, llenando las hendiduras con una argamasa indestructible.

La obra adelantaba.

—¡Ánimo!, ¡ánimo! —murmuró el viejo—; aprovechemos

los instantes, que la noche es corta, y pronto cantará el gallo, trompeta del día.

Y esto diciendo, se inclinó hacia el borde de una sima profunda, abierta al impulso de las convulsiones de la montaña, y como dirigiéndose a otros seres ocultos en su fondo, prosiguió:

—Espíritus de la tierra y del fuego: vosotros que conocéis los tesoros de metal de sus entrañas y circuláis por sus caminos subterráneos con los mares de lava encendida, agitaos y cumplid mis órdenes.

Aun no había expirado el eco de la última palabra del conjuro, cuando se comenzó a oír un rumor sordo y continuo como el de un trueno lejano, rumor que asimismo fue creciendo, creciendo, hasta que se hizo semejante al que produce un escuadrón de jinetes que cruzan al galope el puente de una fortaleza, y entonces retumba el golpear del casco de los caballos, crujen los maderos, rechinan las cadenas, y resuena metálico y sonoro el choque de las armaduras, de las lanzas y los escudos. A medida que el ruido tomaba mayores proporciones veíase salir por las grietas de las rocas un resplandor vivo y brillante, como el que despide una fragua ardiendo, y de eco en eco se repetía por las concavidades del monte el fragor de millares de martillos que caían con un estrépito espantoso sobre los yunques, en donde los gnomos trabajan el hierro de las minas, fabricando puertas, rastrillos, armas y toda la ferretería indispensable para la seguridad y complemento de la futura fortaleza. Aquello era un tumulto imposible de describir; un desquiciamiento general y horroroso: por un lado rebramaba el aire arrancando las rocas, que se hacinaban con estruendo en la cúspide del monte; por otro mugía el torrente, mezclando sus bramidos con el crujir de los árboles que se tronchaban y el golpear incesante de los martillos, que caían alternados sobre los yunques, como llevando el compás en aquella diabólica sinfonía.

Los habitantes de la aldea, despertados de improviso por tan infernal y asordadora baraúnda, no osaban siquiera asomarse al tragaluz de sus chozas para descubrir la causa del extraño terremoto, no faltando algunos que, poseídos de terror, creyendo llegado el instante en que, próxima la destrucción del mundo, había de bajar la muerte a enseñorearse de su imperio, envuelta en el jirón de un sudario, so-

bre un corcel fantástico y amarillo, tal como en sus revelaciones la pinta el Profeta.

Esto se prolongó hasta momentos antes de amanecer, en que los gallos de la aldea comenzaron a sacudir las plumas y a saludar el día próximo con su canto sonoro y estridente. A esta sazón, el rey, que se volvía a su corte haciendo pequeñas jornadas y que accidentalmente había dormido en Tarazona, bien porque de suyo fuese madrugador y despabilado, bien porque extrañase la habitación, que todo cabe en lo posible, saltaba de la cama listo como él solo, y después de poner en un pie como las grullas a su servidumbre, se dirigía a los jardines del palacio. Aun no había pasado una hora desde que vagaba al azar por el intrincado laberinto de sus alamedas, departiendo con uno de sus capitanes, todo lo amigablemente que puede departir un rey, moro por añadidura, con uno de sus súbditos, cuando llegó hasta él, cubierto de sudor y de polvo, el más ágil de los corredores de la frontera, y le dijo, previas las salutaciones de costumbre:

—Señor, hacia la parte de la raya de Castilla sucede una cosa extraordinaria. Sobre la cumbre del monte de Trasmoz, y donde ayer no se encontraban más que rocas y matorrales, hemos descubierto al amanecer un castillo tan alto, tan grande y tan fuerte como no existe ningún otro en todos vuestros estados. En un principio dudamos del testimonio de nuestros ojos, creyendo que tal vez fingía la mole la niebla arremolinada sobre las alturas; pero después ha salido el sol, la niebla se ha deshecho, y el castillo subsiste allí oscuro, amenazador y gigante, dominando los contornos con su altísima atalaya.

Oír el rey este mensaje y recordar su encuentro con el mendigo de las alforjas, todo fue una cosa misma; y reunir estas dos ideas y lanzar una mirada amenazadora e interrogante a los que estaban a su lado, tampoco fue cuestión de más tiempo. Sin duda su alteza árabe sospechaba que alguno de sus emires, conocedores del diálogo del día anterior, se había permitido darle una broma, sin precedentes en los anales de la etiqueta musulmana, pues con acento de mal disimulado enojo, exclamó jugando con el pomo de su alfanje de una manera particular, como solía hacerlo cuando estaba a punto de estallar su cólera:

—¡Pronto, mi caballo más ligero, y a Trasmoz; que juro

por mis barbas y las del Profeta, que si es cuento el mensaje de los corredores, donde debiera estar el castillo he de poner una picota para los que le han inventado!

Esto dijo el rey, y minutos después, no corría, volaba camino de Trasmoz seguido de sus capitanes. Antes de llegar a lo que se llama Somontano, que es una reunión de valles y alturas que van subiendo gradualmente hasta llegar al pie de la cordillera que domina el Moncayo, coronado de nieblas y de nubes como el gigante y colosal monarca de estos montes, hay, viniendo de Tarazona, una gran eminencia que lo oculta a la vista hasta que se llega a la cumbre. Tocaba el rey casi a la cúspide de esta altura, conocida hoy por la *Ciezma*, cuando, con gran asombro suyo y de los que le seguían, vio venir a su encuentro al viejecito de las alforjas, con la misma túnica raída y remendada del día anterior, el mismo turbante, hecho jirones y sucio, y el propio báculo tosco y fuerte, en que se apoyaba, mientras él, en son de burla, después de haber oído su risible propuesta, le arrojó una moneda para que comprase pan y cebollas. Detúvose el rey delante del viejo, y éste, postrándose de hinojos y sin dar lugar a que le preguntara cosa alguna, sacó de las alforjas, envueltas en un paño de púrpura, dos llaves de oro, de labor admirable y exquisita, diciendo al mismo tiempo que las presentaba a su soberano:

—Señor, yo he cumplido ya mi palabra; a vos toca sacar airosa de su empeño la vuestra.

—Pero ¿no es fábula lo del castillo? —preguntó el rey entre receloso y suspenso, y fijando alternativamente la mirada, ya en las magníficas llaves que por su materia y su inconcebible trabajo valían de por sí un tesoro, ya en el viejecillo, a cuyo aspecto miserable se renovaba en su ánimo el deseo de socorrerle con una limosna.

—Dad algunos pasos más y le veréis —respondió el alcaide; pues, una vez cumplida su promesa y siendo la que le habían empeñado palabra de rey, que al menos en estas historias tiene fama de inquebrantable, por tal podemos considerarle desde aquel punto. Dio algunos pasos más el soberano; llegó a lo más alto de la *Ciezma*, y en efecto, el castillo de Trasmoz apareció a sus ojos, no tal como hoy se ofrecería a los de ustedes, si por acaso tuvieran la humorada de venir a verlo, sino tal como fue en la antigua, con sus cinco torres gigantescas, su atalaya esbelta, sus fosos

profundos, sus puertas chapeadas de hierro, fortísimas y enormes, su puente levadizo y sus muros coronados de almenas puntiagudas.

..

Al llegar a este punto de mi carta, me apercibo de que, sin querer, he faltado a la promesa que hice en la anterior, y ratifiqué al tomar hoy la pluma para escribir a ustedes. Prometí contarles la historia de la bruja de Trasmoz, y sin saber cómo les he relatado en su lugar la del castillo. Con estos cuentos sucede lo que con las cerezas; sin pensarlo, salen unas enredadas en otras. ¿Qué le hemos de hacer? Conseja por conseja, allá va la primera que se ha enredado en el pico de la pluma: merced a ella, y teniendo presente su diabólico origen, comprenderán ustedes por qué las brujas, cuya historia quedo siempre comprometido a contarles, tienen una marcada predilección por las ruinas de este castillo y se encuentran en él como en su casa.

CARTA OCTAVA

QUERIDOS amigos: En una de mis cartas anteriores dije a ustedes en qué ocasión y por quién me fue referida la estupenda historia de las brujas, que a mi vez he prometido repetirles. La muchacha que se encuentra a mi servicio, tipo perfecto del país, con su apretador verde, su saya roja y sus medias azules, había colgado el candil en un ángulo de mi habitación débilmente alumbrada, aun con este aditamento de luz, por una lamparilla, a cuyo escaso resplandor escribo. Las diez de la noche acababan de sonar en el antiguo reloj de pared, único resto del mobiliario de los frailes, y solamente se oían, con breves intervalos de silencio profundo, esos ruidos apenas perceptibles y propios de un edificio deshabitado e inmenso, que producen el aire que gime, los techos que crujen, las puertas que rechinan y los animaluchos de toda calaña que vagan a su placer por los sótanos, las bóvedas y las galerías del monasterio, cuando después de contarme la leyenda que corre más valida acer-

ca de la fundación del castillo, y que ya conocen ustedes, prosiguió su relato, no sin haber hecho antes un momento de pausa para calmar el efecto que la primera parte de la historia me había producido, y la cantidad de fe con que podía contar en su oyente para la segunda.

He aquí la historia, poco más o menos, tal como me la refirió mi criada, aunque sin giros extraños y sin locuciones pintorescas y características del país, que ni yo puedo recordar, ni caso que las recordarse, ustedes podrían entender.

Ya había pasado el castillo de Trasmoz a poder de los cristianos, y éstos a su vez, terminadas las continuas guerras de Aragón y Castilla, habían concluido por abandonarle, cuando es fama que hubo en el lugar un cura tan eaxcto en el cumplimiento de sus deberes, tan humilde con sus inferiores, y tan lleno de ardiente caridad para con los infelices, que su nombre, al que iba unida una intachable reputación de virtud, llegó a hacerse conocido y venerado en todos los pueblos de la comarca.

Muchos y muy señalados beneficios debían los habitantes de Trasmoz a la inagotable bondad del buen cura, que ni para disfrutar de una canongía con que en repetidas ocasiones le brindó el obispo de Tarazona, quiso abandonarlos; pero el mayor sin duda fue el libertarlos, merced a sus santas plegarias y poderosos exorcismos, de la incómoda vecindad de las brujas, que desde los lugares más remotos del reino venían a reunirse ciertas noches del año en las ruinas del castillo, que, quizá por deber su fundación a un nigromante, miraban como cosa propia, y lugar el más aparente para sus nocturnas zambras y diabólicos conjuros. Como quiera que, antes de aquella época, muchos otros exorcistas habían intentado desalojar de allí a los espíritus infernales, y sus rezos y sus aspersiones fueron inútiles, la fama de *Mosén Gil, el limosnero* (que por este nombre era conocido nuestro cura) se hizo tanto más grande, cuanto más difícil o imposible se juzgó hasta entonces dar cima a la empresa que él había acometido y llevado a cabo con feliz éxito, gracias a la poderosa intercesión de su plegarias y al mérito de sus buenas obras. Su popularidad y el respeto que los campesinos le profesaban, iban, pues, creciendo a medida que la edad, cortando, por decirlo así, los últimos lazos que pudieran ligarle a las cosas terrestres, acendraban sus vir-

tudes y el generoso desprendimiento con que siempre dio
a los pobres hasta lo que él había de menester para sí, de
modo que, cuando el venerable sacerdote, cargado de años
y de achaques, salía a dar una vueltecita por el porche de
su humilde iglesia, era de ver cómo los chicuelos corrían
desde lejos para venir a besarle la mano, los hombres se
descubrían repetuosamente, y las mujeres llegaban a pedirle
su bendición, considerándose dichosa la que podía alcan-
zar como reliquia y amuleto contra los maleficios un jirón
de su raída sotana. Así vivía en paz y satisfecho con su suer-
te el bueno de mosén Gil; mas como no hay felicidad com-
pleta en el mundo, y el diablo anda de continuo buscando
ocasión de hacer mal a sus enemigos, éste sin duda dispuso
que por muerte de una hermana menor, viuda y pobre, vi-
niese a parar a casa del caritativo cura una sobrina que él
recibió con los brazos abiertos, y a la cual consideró desde
aquel punto como apoyo providencial deparado por la bon-
dad divina para consuelo de su vejez.

Dorotea, que así se llamaba la heroína de esta verídica
historia, contaba escasamente dieciocho abriles; parecía edu-
cada en un santo temor de Dios, un poco encogida en sus
modales, melosa en el hablar y humilde en presencia de ex-
traños, como todas las sobrinas de los curas que yo he co-
nocido hasta ahora; pero tanto como las que más, o más
que ninguna, preciada del atractivo de sus ojos negros y
traidores, y amiga de emperejilarse y componerse. Esta afi-
ción *a los trapos*, según nosotros los hombres solemos de-
cir, tan general en las muchachas de todas las clases y de
todos los siglos, y que en Dorotea predominaba exclusiva-
mente sobre las demás aficiones, era causa continua de do-
mésticos disturbios entre la sobrina y el tío, que contando
con muy pocos recursos en su pobre curato de aldea, y siem-
pre en la mayor estrechez a causa de su largueza para con
los infelices, según él decía con una ingenuidad admirable,
andaba desde que recibió las primeras órdenes procurando
hacerse un manteo nuevo, y aún no había encontrado oca-
sión oportuna. De vez en cuando las discusiones a que daban
lugar las peticiones de la sobrina solían agriarse; y ésta le
echaba en cara las muchas necesidades a que estaban suje-
tos, y la desnudez en que ambos se veían por dar a los po-
bres, no sólo lo superfluo, sino hasta lo necesario. Mosén
Gil entonces echando mano de los más deslumbradores ar-

gumentos de su cristiana oratoria, después de repetir que
cuanto a los pobres se da a Dios se presta, acostumbraba
a decirla que no se apurase por una saya de más o de me-
nos para los cuatro días que se han de estar en este valle de
lágrimas y miserias, pues mientras más sufrimientos sobre-
llevase con resignación, y más desnuda anduviese por amor
hacia el prójimo, más pronto iría, no ya a la hoguera que se
enciende los domingos en la plaza del lugar, y emperejilada
con una mezquina saya de paño rojo, franjada de vellorí,
sino a gozar del Paraíso eterno, danzando en torno de la
lumbre inextinguible, y vestida de la gracia divina que es el
más hermoso de todos los vestidos imaginables. Pero váya-
le usted con estas evangélicas filosofías a una muchacha
de dieciocho años, amiga de parecer bien, aficionada a pe-
rifollos, con sus ribetes de envidiosa y con unas vecinas en
la casa de enfrente, que hoy estrenan un apretador amari-
llo, mañana un jubón negro, y el otro una saya azul turquí
con unas franjas rojas que deslumbran la vista y llaman
la atención de los mozos a tres cuartos de hora de distancia.

El bueno de mosén Gil podía considerar perdido su ser-
món, aunque no predicase en desierto, pues Dorotea, aun-
que callada y no convencida, seguía mirando de mal ojo a
los pobres que continuamente asediaban la puerta de su
tío, y prefiriendo un buen jubón y unas agujetas azules de
las que miraba suspirando, en la *calle de Botigas*, cuando
por casualidad iba a Tarazona, a todos los adornos y galas
que en un futuro, más o menos cercano, pudieran prome-
terle en el Paraíso en cambio de su presente resignación y
desprendimiento.

En este estado de cosas, una tarde, víspera del día del
santo Patrono del lugar, y mientras el cura se ocupaba en
la iglesia de tenerlo todo dispuesto para la función que iba
a verificarse a la mañana siguiente, Dorotea se sentó triste
y pensativa a la puerta de su casa. Unas mucho, otras poco,
todas las muchachas del pueblo habían traído algo de Ta-
razona para lucirse en el mayo y en el baile de la hoguera,
en particular sus vecinas, que sin duda, con intención de
aumentar su despecho, habían tenido el cuidado de sentar-
se en el portal a coserse las sayas nuevas y arreglar los
dijes que les habían feriado sus padres. Sólo ella, la más
guapa y la más presumida también, no participaba de esa
alegre agitación, esa prisa de costura, ese animado atur-

dimiento que preludian entre las jóvenes, así en las aldeas como en las ciudades, la aproximación de una solemnidad por largo tiempo esperada. Pero, digo mal, también Dorotea tenía aquella noche su quehacer extraordinario; mosén Gil le había dicho que amasase para el día siguiente veinte panes más que los de costumbre, a fin de distribuírselos a los pobres después de concluida la misa.

Sentada estaba, pues, a la puerta de su casa la malhumorada sobrina del cura, barajando en su imaginación mil desagradables pensamientos, cuando acertó a pasar por la calle una vieja muy llena de jirones y de andrajos que, agobiada por el peso de la edad, caminaba apoyándose en un palito.

—Hija mía —exclamó al llegar junto a Dorotea, con un tono compungido y doliente—; ¿me quieres dar una limosnita, que Dios te lo pagará con usura en su santa gloria?

Estas palabras, tan naturales en los que imploran la caridad pública, que son como una fórmula consagrada por el tiempo y la costumbre, en aquella ocasión, y pronunciadas por aquella mujer, cuyos ojillos verdes y pequeños parecían reír con una expresión diabólica, mientras el labio articulaba su acento más plañidero y lastimoso, sonaron en el oído de Dorotea como un sarcasmo horrible, trayéndole a la memoria las magníficas promesas para más allá de la muerte con que mosén Gil solía responder a sus exigencias continuas. Su primer impulso fue echar enhoramala a la vieja; pero conteniéndose, por respetos a ser su casa la del cura del lugar, se limitó a volverle la espalda con un gesto de desagrado y mal humor bastante significativo. La vieja, a quien antes parecía complacer que no afligir esta repulsa, aproximóse más a la joven, y procurando dulcificar todo lo posible su voz de carraca destemplada, prosiguió de este modo, sonriendo siempre con sus ojillos verdosos como sonreiría la serpiente que sedujo a Eva en el Paraíso:

—Hermosa niña, si no por el amor de Dios, por el tuyo propio, dame una limosna. Yo sirvo a un señor que no se limita a recompensar a los que hacen bien a los suyos en la otra vida, sino que les da en ésta cuenta ambicionan. Primero te pedí por el que tú conoces; ahora torno a demandarte socorro por el que yo reverencio.

—¡Bah, bah! Dejadme en paz, que no estoy de humor para oír disparates —dijo Dorotea, que juzgó loca o chocheando

a la haraposa vieja que le hablaba de un modo para ella incomprensible. Y sin volver siquiera el rostro, al despedirla tan bruscamente, hizo ademán de entrarse en el interior de la casa; pero su interlocutora, que no parecía dispuesta a ceder con tanta facilidad en su empeño, asiéndola de la saya la detuvo un instante, y tornó a decirla:

—Tú me juzgas fuera de mi juicio; pero te equivocas, porque no sólo sé bien lo que yo hablo, sino lo que tú piensas, como conozco igualmente la ocasión de tus pesares.

Y cual si su corazón fuese un libro y éste estuviera abierto ante sus ojos, repitió a la sobrina del cura, que no acertaba a volver en sí de su asombro, cuantas ideas habían pasado por su mente, al comparar su triste situación con la de las otras muchachas del pueblo.

—Mas no te apures —continuó la astuta arpía después de darle esta prueba de su maravillosa perspicacia—; no te apures: hay un señor tan poderoso como el de mosén Gil, y en cuyo nombre me he acercado a hablarte so pretexto de pedir una limosna; un señor que no sólo no exige sacrificios penosos de los que le sirven, sino que se esmera y complace en secundar todos sus deseos; alegre como un juglar, rico como todos los judíos de la tierra juntos, y sabio hasta el extremo de conocer los más ignorados secretos de la ciencia, en cuyo estudio se afanan los hombres. Las que le adoran viven en una continua zambra, tienen cuantas joyas y dijes desean, y poseen filtros de una virtud tal, que con ellos llevan a cabo cosas sobrenaturales, se hacen obedecer de los espíritus, del sol y de la luna, de los peñascos, de los montes y de las olas del mar, e infunden el amor o el aborrecimiento en quien mejor les cuadra. Si quieres ser de los suyos, si quieres gozar de cuanto ambicionas, a muy poca costa puedes conseguirlo. Tú eres joven, tú eres hermosa, tú eres audaz, tú no has nacido para consumirte al lado de un viejo achacoso e impertinente, que al fin te dejará sola en el mundo y sumida en la miseria, merced a su caridad extravagante.

Dorotea, que al principio se prestó de mala voluntad a oír las palabras de la vieja, fue poco a poco internándose en aquella halagüeña pintura del brillante porvenir que podía ofrecerle, y aunque sin despegar los labios, con una mirada entre crédula y dudosa, pareció preguntarle en qué consistía lo que debiera hacer para alcanzar aquello que tanto de-

seaba. La vieja entonces, sacando una botija verde, que traía oculta entre el harapiento delantal le dijo:

—Mosén Gil tiene a la cabecera de su cama una pila de agua bendita de la que todas las noches, antes de acostarse, arroja algunas gotas por la ventana que da frente al castillo, pronunciando una oración. Si sustituyes aquella agua con ésta, y después de apagado el hogar dejas las tenazas envueltas en las cenizas, yo vendré a verte por la chimenea al toque de ánimas, y el señor a quien obedezco, y que en muestra de su generosidad te envía este anillo, te dará cuanto desees.

Esto diciendo le entregó la botija, no sin haberle puesto antes en el dedo de la misma mano con que la tomara un anillo de oro, con una piedra hermosa sobre toda ponderación.

La sobrina del cura, que maquinalmente dejaba hacer a la vieja, permanecía aún irresoluta y más suspensa que convencida de sus razones; pero tanto le dijo sobre el asunto y con tan vivos colores supo pintarle el triunfo de su amor propio ajado, cuando al día siguiente, merced a la obediencia, lograse ir a la hoguera de la plaza vestida con un lujo desconocido, que al fin cedió a sus sugestiones, prometiendo obedecerla en un todo.

Pasó la tarde, llegó la noche, llegando con ella la oscuridad y las horas aparentes para los misterios y los conjuros, y ya mosén Gil, sin caer en la cuenta de la sustitución del agua con un brebaje maldito, había hecho sus inútiles aspersiones y dormía con el sueño reposado de los ángeles, cuando Dorotea, después de apagar la lumbre del hogar y poner, según fórmula, las tenazas entre las cenizas, se sentó a esperar a la bruja, pues bruja y no otra cosa podía ser la vieja miserable que disponía de joyas de tanto valor como el anillo, y visitaba a sus amigos a tales horas y entrando por la chimenea.

Los habitantes de la aldea de Trasmoz dormían asimismo como lirones, excepto algunas muchachas que velaban, cosiendo sus vestidos para el día siguiente. Las campanas de la iglesia dieron al fin el toque de ánimas, y sus golpes lentos y acompasados se perdieron dilatándose en las ráfagas del aire para ir a expirar entre las ruinas del castillo. Dorotea, que hasta aquel momento, y una vez adoptada su resolución, había conservado la firmeza y sangre fría suficien-

tes para obedecer las órdenes de la bruja, no pudo menos de turbarse y fijar los ojos con inquietud en el cañón de la chimenea por donde había de verla aparecer de un modo tan extraordinario. Ésta no se hizo esperar mucho, y apenas se perdió el eco de la última campanada, cayó de golpe entre la ceniza en forma de gato gris, y haciendo un ruido extraño y particular de estos animalitos, cuando, con la cola levantada y el cuerpo hecho un arco, van y vienen de un lado a otro acariciándose contra nuestras piernas. Tras el gato gris cayó otro rubio, y después otro negro, más otro de los que llaman moriscos, y hasta catorce o quince de diferentes dimensiones y color, revueltos con una multitud de sapillos verdes y tripudos con un cascabel al cuello, y una a manera de casaquilla roja. Una vez juntos los gatos, comenzaron a ir y venir por la cocina, saltando de un lado a otro; éstos por los vasares, entre los pucheros y las fuentes, aquéllos por el ala de la chimenea, los de más allá revolcándose entre la ceniza y levantando una gran polvareda, mientras que los sapillos, haciendo sonar su cascabel, se ponían de pie al borde de las marmitas, daban volteretas en el aire o hacían equilibrios o dislocaciones pasmosas, como los clowns de nuestros circos ecuestres. Por último, el gato gris, que parecía el jefe de la banda, y en cuyos ojillos verdosos y fosforescentes había creído reconocer la sobrina del cura, los de la vieja que le habló por la tarde, levantándose sobre las patas traseras en la silla en que se encontraba subido, le dirigió la palabra en estos términos:

—Has cumplido lo que prometiste, y aquí nos tienes a tus órdenes. Si quieres vernos en nuestra primitiva forma y que comencemos a ayudarte a fraguar las galas para las fiestas y a amasar los panes que te ha encargado tu tío, haz tres veces la señal de la cruz con la mano izquierda invocando a la trinidad de los infiernos, Belcebú, Astarot y Belial.

Dorotea, aunque temblando, hizo punto por punto lo que se le decía, y los gatos se convirtieron en otras tantas mujeres, de las cuales, unas comenzaron a cortar y otras a coser telas de mil colores, a cual más vistosos y llamativos, hilvanando y concluyendo sayas y jubones a toda prisa, en tanto que los sapillos, diseminados por aquí y por allá, con unas herramientas diminutas y brillantes, fabricaban pendientes de filigrana de oro para las orejas, anillos con piedras preciosas para los dedos, o armados de su tirapié y

su lezna en miniatura, cosían unas zapatillas de tafilete, tan monas y tan bien acabadas, que merecían calzar el pie de una hada. Todo era animación y movimiento en derredor de Dorotea; hasta la llama del candil que alumbraba aquella escena extravagante, parecía danzar alegre en su piquera de hierro, chisporroteando, y plegando y volviendo a desplegar su abanico de luz, que se proyectaba en los muros en círculos movibles, ora oscuros, ora brillantes. Esto se prolongó hasta rayar el día, en que el bullicioso repique de las campanas de la parroquia echadas a vuelo en honor del Santo Patrono del lugar, y el agudo canto de los gallos anunciaron el alba a los habitantes de la aldea. Pasó el día entre fiestas y regocijos. Mosén Gil, sin sospechar la parte que las brujas habían tomado en su elaboración, repartió, terminada la misa, sus panes entre los pobres; las muchachas bailaron en las eras al son de la gaita y el tamboril, luciendo los dijes y las galas que habían traído de Tarazona y ¡cosa particular! Dorotea, aunque al parecer fatigada de haber pasado la noche en claro amasando el pan de la limosna, con no pequeño asombro de su tío, ni se quejó de su suerte, ni hizo alto en las bandas de mozas y mozos que pasaban emperejilados por sus puertas, mientras ella permanecía aburrida y sola en su casa.

Al fin llegó la noche, que a la sobrina del cura pareció tardar más que otras veces. Mosén Gil se metió en su cama al toque de oraciones, según tenía de costumbre, y la gente joven del lugar encendió la hoguera en la plaza donde debía continuar el baile. Dorotea, entonces, aprovechando el sueño de su tío, se adornó apresuradamente con los hermosos vestidos, presentes de las brujas, púsose los pendientes de filigrana de oro, cuyas piedras blancas y luminosas semejaban sobre sus frescas mejillas gotas de rocío sobre un melocotón dorado, y con sus zapatillas de tafilete y un anillo en cada dedo, se dirigió al punto en que los mozos y las mozas bailaban al son del tamboril y las vihuelas, al resplandor del fuego, cuyas lenguas rojas, coronadas de chispas de mil colores, se levantaban por sobre de los tejados de las casas, arrojando a lo lejos las prolongadas sombras de las chimeneas y la torre del lugar. Figúrense ustedes el efecto que su aparición produciría. Sus rivales en hermosura, que hasta allí la habían superado en lujo, quedaron oscurecidas y arrinconadas; los hombres se disputaban el honor de alcan-

zar una mirada de sus ojos, y las mujeres se mordían los labios de despecho. Como le habían anunciado las brujas, el triunfo de su vanidad no podía ser más grande. Pasaron las fiestas del Santo, y aunque Dorotea tuvo buen cuidado de guardar sus joyas y sus vestidos en el fondo del arca, durante un mes no se habló en el pueblo de otro asunto.

—¡Vaya! ¡Vaya! —decían sus feligreses a mosén Gil—; tenéis a vuestra sobrina hecha un pimpollo de oro. ¡Qué lujo! ¡Quién había de creer que, después de dar lo que dais en limosnas, aun os quedaba para esos rumbos!

Pero mosén Gil, que era la bondad misma y que ni siquiera podía figurarse la verdad de lo que pasaba, creyendo que querían embromarle, aludiendo a la pobreza y la humildad, en el vestir de Dorotea, impropias de la sobrina de un cura, personaje de primer orden en los pueblos, se limitaba a contestar sonriendo y como para seguir la broma:

—¿Qué queréis? Donde lo hay se luce.

Las galas de Dorotea hacían entretando su efecto.

Desde aquella noche en adelante no faltaron enramadas en sus ventanas, música en sus puertas y rondadores en las esquinas. Estas rondas, estos cantares y estos ramos tuvieron el fin que era natural, y a los dos meses la sobrina del cura se casaba con uno de los mozos mejor acomodados del pueblo; el cual, para que nada faltase a su triunfo, hasta la famosa noche en que se presentó en la hoguera, había sido novio de una de aquellas vecinas que tanto la hicieron rabiar en otras ocasiones, sentándose a coser sus vestidos en el portal de la calle. Sólo el pobre mosén Gil perdió desde aquella época para siempre el latín de sus exorcismos y el trabajo de aspersiones. Las brujas, con grande asombro suyo y de sus feligreses, tornaron a aposentarse en el castillo; sobre los ganados cayeron plagas sin cuento; las jóvenes del lugar se veían atacadas de enfermedades incomprensibles; los niños eran azotados por las noches en sus cunas, y los sábados, después que la campana de la iglesia dejaba oír el toque de ánimas, unas sonando panderos, otras añafiles o castañuelas, y todas a caballo sobre sus escobas, los habitantes de Trasmoz veían pasar una banda de viejas, espesa como las de las grullas, que iban a celebrar sus endiablados ritos a la sombra de los muros y de la ruinosa atalaya que corona la cumbre del monte.

Después de oír esta historia, he tenido ocasión de conocer a la *tía Casca*, hermana de la otra *Casca* famosa, cuyo trágico fin he referido a ustedes, y vástago de la dinastía de brujas de Trasmoz, que comienza en la sobrina de mosén Gil y acabará no se sabe cuándo ni dónde. Por más que al decir de los revolucionarios furibundos, ha llegado la hora final de las dinastías seculares, ésta, a juzgar por el estado en que se hallan los espíritus en el país, promete prolongarse aún mucho, pues teniendo en cuenta que la que vive no será para largo en razón a su avanzada edad, ya comienza a decirse que la hija despunta en el oficio y que una nietezuela tiene indudables disposiciones: tan arraigada está entre estas gentes la creencia de que de una en otra lo viene heredando. Verdad es que, como ya creo haber dicho antes de ahora, hay aquí en todo cuanto a uno le rodea un no sé qué de agreste, misterioso y grande que impresiona profundamente el ánimo y le predispone a creer en lo sobrenatural.

De mí puedo asegurarles que no he podido ver a la actual bruja sin sentir un estremecimiento involuntario, como si, en efecto, la colérica mirada que me lanzó observando la curiosidad impertinente con que espiaba sus acciones, hubiera podido hacerme daño. La vi hace pocos días, ya muy avanzada la tarde, y por una especie de tragaluz, al que se alcanza desde un pedrusco enorme de los que sirven de cimiento y apoyo a las casas de Trasmoz. Es alta, seca, arrugada, y no lo querrán ustedes creer, pero hasta tiene sus barbillas blancuzcas y su nariz corva, de rigor en las brujas de todas las consejas.

Estaba encogida y acurrucada junto al hogar entre un sinnúmero de trastos viejos, pucherillos, cántaros, marmitas y cacerolas de cobre, en las que la luz de la llama parecía centuplicarse con sus brillantes y fantásticos reflejos. Al calor de la lumbre hervía yo no sé qué en un cacharro, que de tiempo en tiempo removía la vieja con una cuchara. Tal vez sería un guiso de patatas para la cena; pero impresionado a su vista, y presente aún la relación que me habían hecho de sus antecesoras, no pude menos de recordar, oyendo el continuo hervidero del guiso, aquel pisto infernal, aquella horrible *cosa sin nombre* de las brujas del *Macbeth* de Shakespeare.

SUMARIO